Mynd i'r Gwrych

Dyddiaduron 1993–1999

Hafina Clwyd

Argraffiad cyntaf: 2011

Rhif rhyngwladol: 978-1-84527-301-9

Mae'r cyhoeddwr yn cydnabod cefnogaeth ariannol
Cyngor Llyfrau Cymru

Cynllun clawr: Sion Ilar

Cyhoeddwyd gan Wasg Carreg Gwalch,
12 Iard yr Orsaf, Llanrwst, Conwy, LL26 0EH.
Ffôn: 01492 642031 Ffacs: 01492 641502
e-bost: llyfrau@carreg-gwalch.com
lle ar y we: www.carreg-gwalch.com

Argraffwyd a chyhoeddwyd yng Nghymru.

Diolch

Dymuna'r cyhoeddwyr gydnabod eu diolchgarwch i deulu'r ddiweddar Hafina Clwyd am bob cymorth a chydweithrediad wrth lywio'r gyfrol hon drwy'r wasg.

Er cof am Hafina,

a'i brwdfrydedd dros lenyddiaeth

Pwy ydy Pwy

Cliff – gŵr

Lesley, Simon a Ben – llysferch, ei phriod a'u mab

Helen – chwaer

Walter ac Edward – ei meibion

Alan a Buddug – brawd a'i briod

Ffion, Ioan, Gwenno a Siân Alwen – eu plant

Bryn a Myfanwy – brawd a'i briod

Alun a Helen Mair – eu plant

Shôn, Eirlys ac Elin Dwyryd – ffrindie

Angharad – ffrind coleg

Cynnwys

1993
Croesi'r Anialwch

Ionawr 1

Rydw i'n gobeithio y bydd eleni'n well na 92. *Annus horribilis* fu honno, chwedl ER. Mae hi ER wedi cyhoeddi rhestr o anrhydeddau'r flwyddyn newydd ac mae nifer fawr yn cael medalau eto eleni, yn cynnwys Shirley Bassey a Morfudd Vaughan Evans, arweinydd Côr Rhuthun. A hefyd Dr Arthur Kenrick, Llanrwst. Magwyd o yng Ngwyddelwern ac yr wyf yn ei gofio yn yr ysgol, llanc peniog yn byw yn Aran Grove hefo'i fam weddw. Enw ei dad oedd Kenrick Kenrick ac yr wyf yn meddwl ei fod yn ddisgynnydd i'r Kenrick Kenrick hwnnw o Ddyffryn Ceiriog oedd yn un o hynafiaid Islwyn Ffowc Elis a fi! Ac yn perthyn rywle i John Gynwrig Gynffon. Mam Arthur oedd yn paratoi cinio ysgol inni ac yr oedd yn werth chweil – yn enwedig y pwdin syrup.

Taith ddigon anghysurus gafodd rhai ohonom llynedd. Heblaw am golli ffrindie a nifer o Gymry da, mi gollwyd *Y Faner* hefyd. Mi wn bod yna dipyn o dynnu coes weithie: byddai pobl yn dweud os oedd eich llun ar glawr *Y Faner* yr oedd yn golygu eich bod wedi ymadael â'r fuchedd hon! Ond y gwir amdani oedd bod *Y Faner* yn gwneud ymdrech i gyhoeddi teyrngedau haeddiannol i bobl a oedd mewn gwahanol ffyrdd wedi gwneud cyfraniad i fywyd Cymru. Yr hyn a elwir yn y busnes yn 'obits'. Eironig a siomedig oedd sylweddoli na chafodd *Y Faner* ei hun ddim obit. Ni fu gair am ei thranc yn *Barn* na *Taliesin* na *Barddas*. Digwyddiad hanesyddol, diwedd cyfnod wedi'i anwybyddu. Ond mae'r cylchgronau eraill sydd gennym yn dibynnu ar grantiau ac nid oes yr un yn mynd i fod mor ffôl â brathu'r llaw sydd yn ei fwydo. Mae Cymru yn llawn o gachgwn. A dene'r tro olaf (efallai) y byddaf yn swnian am *Y Faner* druan.

Ionawr 2

Rydw i mewn dŵr poeth am fy mod wedi dymuno 'Gwyliau llawen' i ddarllenwyr *Y Cymro*. Nadolig yw'r enw cywir medde un llythyrwr ffyrnig. Onid gair estron yw Nadolig? Yn deillio o'r *natal* Lladin? Ond rwyf am ddyfynnu o Lawysgrif Peniarth: *'y gael vy roddyon gwylyeu'*.

Wedi bod yn darllen llythyrau Virginia Woolf – arbennig o ddifyr; dangos meddylfryd y dosbarth canol uchaf yn Lloegr a'r Bloomsbury Group ddechrau'r ganrif, ac fel dosbarth canol Cymru nhw oedd yn rhedeg pethe. Dim byd o'i le ar snobyddiaeth os yw hynny'n golygu cadw safonau. A chadw iaith. Mae ganddi frawddegau crafog hefyd, megis hon: 'Dros y canrifoedd merch oedd Dienw'. Ac un arall apeliodd yn fawr oedd: 'Mi ddarllenais lyfr Job neithiwr. Nid yw Duw yn cael ei weld mewn goleuni da o gwbl.' Ar yr wyneb mae hynny'n ymddangos yn ddatganiad rhesymol. Rhyw hen wlanen o ddyn oedd Job beth bynnag, yn dioddef cymaint heb golli ffydd. Callach fydde dweud y drefn a chael ambell steric – llawer gwell er lles yr iechyd. Ond mae'n siŵr fod Virginia yn gwybod mai llyfr apocalyptaidd yw hwn, sef un yn ceisio annog yr Iddewon i fod yn ddewr a chadw'r ffydd tra oeddynt yn cael eu trin mor erchyll yn y gaethglud. Yr un fath â llyfr Daniel. Dyna ddysgwyd inni yn y coleg erstalwm gan yr hen Rev Bach.

Yn rhyfedd iawn, rwyf wedi bod yn gwrando ar John Ogwen a Maureen Rhys yn darllen detholiadau allan o *Annwyl Kate, Annwyl Saunders*. Buasech yn meddwl bod y ddau a fu'n llythyru mor gyson yn ieuad anghymharus: Kate yn ddiflewyn-ar-dafod mewn gwlad sydd yn enwog am bwdu a Saunders yn uchelwrol yn ei hoffter o win da a'i anallu i ddeall meddylfryd y werin. Yr hyn sydd yn fy syfrdanu yw pa mor debyg iddynt yw Virginia Woolf.

Hithau'n ymdroi mewn cylch uchelwrol ac yn medru bod yn finiog ei thafod ac yn codi ei thrwyn ar y werin. Hefyd â diddordeb mawr mewn llenyddiaeth ac awduron, ac yn ddisyfl yn ei syniadau am genedl a'i safle mewn cymdeithas. Byddai Kate a Saunders yn medru sgwrsio hefo Virginia a'i deall. Ond mi fyddai Virginia ar goll yn lân ar aelwyd Kate a Saunders ac yn eilio geiriau Kate mai 'blydi ffyliaid sydd yn sgrifennu yn Gymraeg'. Diolch byth am y blydi ffyliaid, medde fi.

Ionawr 8

Brawddeg gofiadwy gan Gwynoro Jones ar y rhaglen radio *Blewyn o Drwyn* heddiw: 'Nid yw arian yn deall democratiaeth'.

Ionawr 13

Pnawn yn yr archifdy yn chwilota am y Coppacks a darganfod bod Penarlâg, Caergwrle, yr Hôb, Treuddyn, Aston a Shotton ar hyd arfordir sir y Fflint wedi derbyn ffurflenni cyfrifiad Lloegr yn 1891 ac felly nad oedd y cwestiwn iaith wedi cael ei ofyn. A minne wedi addo profi i nheulu yng nghyfraith fod eu hynafiaid fwy na thebyg yn siarad Cymraeg. Wrth lwc roedd Cei Conna wedi cael y ffurflenni iawn ac roedd John Parry, hen daid Cliff, yn medru'r Gymraeg (brodor o Langollen oedd o) ond heb drosglwyddo'r iaith i'w blant. Un o bentre Llong oedd fy mam yng nghyfraith, er na welais erioed mohoni, ac yr oedd ei mam hithe o Nercwys ac mae'n fwy na thebyg felly eu bod yn siarad Cymraeg. Mae Cliff yn dweud ei bod yn defnyddio geirie fel 'brat' (am ffedog) a 'tranglins' (sef llanast). Dywediad arall ganddi, medde fo, oedd, 'I can only do three things at once – whistle, piddle and fetch the cows.' Gwedd newydd ar y 'multi task' cyfoes!

Ionawr 15

Y dydd yn ymestyn gam ceiliog yn ddyddiol ac rwyf yn dechre llonni. Wrth fy modd yn edrych drwy'r ffenest o flaen fy nesg. Llwyni yn cylchu'r ardd, ysgawen noeth a llawryfen yn sglein o ddail gwyrdd a'r blagur fel canhwylle drosti. Eirlysie yn brwydro eu ffordd drwy'r pridd. Y rhod yn dal i droi. Ychydig o heulwen ac mae cwpwl o wiwerod yn gadael eu nyth yn y dderwen ac yn cloddio fel pethe gwirion, ac wedi cael hyd i fesen neu gneuen yn eistedd fel dau gorrach yn bwyta a'u cynffonne fel plu estrys yn yr awel.

Ond gocheler – llwynog ydy'r haul. Ddoe mi ddaeth y gwynt ac amharu ar yr ysgawen ac mae ei changhenne fel dwylo hen wrach, ac aeth caead y bin sbwriel heibio fel olwyn Catrin. Ac mae yna long mewn helynt yn y gwynt –y llong olew *Braer* wedi cael ei thaflu ar y graig ger Ynysoedd Shetland a'r gwenwyn du yn tywallt i'r môr ac yn brodio brig y tonne.

Rhyw ddiwinydd ar y radio'n dweud ein bod yn poeni llawer gormod am dynged adar ac anifeiliaid yr eigion. Dylem ofidio yn hytrach am drueiniaid Bosnia ac Irac, meddai. Nid dyna'r pwynt. Nid yw'r morlo sydd yn nofio megis corcyn ar wyneb y môr na'r bilidowcar a'i blu'n barlys na'r dyfrgi a'i ysgyfaint yn driogl, nid yw'r rhain yn gwybod dim byd am afradlonrwydd dynolryw. A rhaid gofyn: a oes rhaid i longau olew hwylio mor agos at yr arfordir creigiog – yn arbennig mewn tywydd drwg? Mae hi'n hen bryd i bawb drwy'r byd fod yn fwy gofalus.

Mae yna rai gwledydd sydd yn gwneud yn siŵr nad oes yr un hedyn estron yn glanio ar eu tir. Seland Newydd yn un. Mi wn hynny oherwydd mae Walter newydd fynd yno i weithio ym Mhrifysgol Gogledd Palmerston. Bachgen ecolegol gydwybodol ydy mab hynaf fy chwaer! Yn gofidio am dynged y blaned. Ond y mae'r calla'n colli weithie. Y peth olaf a wnaeth cyn hedfan oedd stwffio'i sgidie pêl-droed i'w fag. Gwaharddwyd o rhag glanio oherwydd bod baw Swydd Efrog ar ei sgidie! Bu rhaid iddo eu glanhau ar yr awyren!

Ionawr 19

Alun o Fae Colwyn ac Elwyn Wilson Jones yma pnawn yn recordio pedair sgwrs ar gyfer 'Cadwyn', casetie i'r deillion. Syniad da. Alun yn sôn am ryw ffermwr o ochr y Bala yn mynd i'r Llew Gwyn ar y Stryd Fawr ac yn gofyn am whisgi, 'and put some frost in it.

Ionawr 20

Bill Clinton yn cael ei urddo yn 42ain Arlywydd UDA – a'r cyntaf i gael ei eni ar ôl y Rhyfel. Pawb yn falch o gael gwared o'r milwriaethus George Bush oedd gymaint o dan ddylanwad Bedyddwyr adain dde America. Mae yne rywbeth hoffus yn Clinton ac mae ei wraig Hillary o linach Gymreig.

Ionawr 21

Mae Rebecca Powell (Edwards gynt) wedi marw yn 57 oed. Yr oedd yn yr un dosbarth â fi yn y Bala. Geneth beniog a'i chwaer Sybil yn un o enethod mawr y Chweched. Nid oeddym yn ymwybodol o hyn ar y pryd nac erioed wedi clywed sôn am y ffasiwn beth, ond yr oedd Sybil a gweddill y Chweched yn rôl models. Dyna pam yr wyf o blaid cadw'r Chweched yn yr ysgolion yn hytrach na chael Coleg Chweched Dosbarth. Ffordd o arbed arian yw hynny ac nid gwella ysgolion.

Mae'n rhaid bod y merched hyn wedi gwneud argraff arnaf gan fy mod yn medru cofio'u henwe a gweld eu hwynebe: Nest Nant Erw Haidd a'i gwallt o liw'r mêl a'i chyfnither Gwenonwy; Carys y Post a Chatrin Puw Morgan; Iona o Landderfel oedd yn nith i'r athrawes gerdd, Llewela Roberts; Dorothy Sellick a ddaeth yn un o

Arolygwyr Ysgolion Cymru (ac un effeithiol iawn, meddir wrthyf); Rowena Travis hefo'r llygaid lliw eirin duon bach; Una Hughes athletig, Alwen Carreg Afon (y Fonesig Elystan Morgan wedyn) a Gwen y Cwm. Dene'r rhai yr oeddym ni *footlings* y flwyddyn gyntaf yn edrych i fyny arnynt mewn rhyfeddod. Collodd Rebecca ei brawd Peredur mewn damwain beic modur a chofiaf y sioc aeth drwy'r ysgol. Galwodd ei mab ar ei ôl. Yr wyf yn cofio'i phriod Eifion Powell ym Mangor ac wedyn yn weinidog yn Harrow a Rebecca yn athrawes am dipyn yn Ysgol Gymraeg Llundain. Mi fu hi hefyd yn olygydd *Y Wawr*. Chwith amdani.

Ionawr 24

Radio Cymru yn dal i fy syfrdanu bob hyn a hyn gyda rhyw ddywediad od neu eiriau gwirion. Heddiw ar *O'r Newydd* dywedwyd bod rhywbeth wedi digwydd yn y flwyddyn Naw Deg Dim. Rhaid ei osod ar y calendr hefo Sul y Pys ac Oes Mul ac Wythnos Wlyb yng Nghanol Haf.

Ionawr 31

Bu farw Byron Jones oedd â swydd gyfrifol gyda Chyngor Sir Llundain, Cardi oedd yn siarad y Cymraeg gore a glywais. Byddai Kate Roberts yn arfer dweud mai ym mro Hiraethog yr oedd y Cymraeg llafar gore'n cael ei siarad. Rydw i am feiddio anghytuno tipyn bach. Gan hen Gardis Llundain yr oedd yr iaith fireiniaf. Roeddynt wedi'u magu ar aelwydydd Cymraeg eu hiaith gan rieni oedd wedi gadael Cymru cyn i'r iaith lafar fynd yn lledieithog. A sôn am Gardis Llundain, pobl y llaeth, fe ddywedir bod y genhedlaeth gyntaf wedi gwneud ffortiwn, yr ail genhedlaeth wedi byw ar y ffortiwn a'r drydedd yn ei gwario.

Chwefror 6

Ar y diwrnod hwn yn 1665 y ganwyd y Frenhines Anne pan

oedd y Pla Mawr yn difa miloedd o drigolion Llundain. Mi fydde'r hen Anne yn 328 oed heddiw ac mae'r hen greadures yn werth ei chofio. Bu farw yn 49 oed wedi esgor ar ddau ar bymtheg o blant ond ni fu yr un o'r babanod fyw. Beth oedd yn bod, tybed? Ac yn rhyfedd iawn, ar y dyddiad hwn y bu farw ei hewythr Siarl II ac ar y diwrnod hwn yn 1952 y bu farw Siôr VI. Gwn yn union ble roeddwn pan glywais y newydd hwnnw. Cerdded i mewn i'r ystafell ginio yn yr ysgol ac un o ferched y Chweched yn dweud, 'Mae'r brenin wedi marw!' Am ryw reswm mae'r eiliad wedi'i fferru yn fy meddwl. Yr oedd Rebecca (Powell) yn eistedd yn f'ochr. Cofiaf yn union ble roeddwn pan glywais am farwolaeth Aneurin Bevan (yn sefyll mewn ciw bws yng ngorllewin Llunden yn mynd i gael te hefo fy nghyfnither Ella pan daflwyd bwndel o *Evening Standard* ar y pafin a'r pennawd yn dweud 'BYE BYE NYE'). Collodd y Senedd dipyn o liw y diwrnod hwnnw. Ac yna un pnawn o fis Tachwedd gwlyb yn 1963 cerdded i mewn i Glwb Cymry Llunden a gweld criw syn yn sefyll o flaen teledu ond y cyfan oedd ar y sgrin oedd y byd yn troi, a deall bod Mab Darogan yr Unol Daleithiau wedi'i saethu'n farw yn Dallas. Ac yna, ar 22 Ebrill 1977, cerdded i mewn i lolfa'r Clwb a'r wynebau syn yn methu credu bod Ryan wedi marw yn America. Rhewodd y ffrâm unwaith eto. Mae gan bawb stori gyffelyb pan rewodd stribed y cof. Efallai nad yw pawb yn cofio'r union ddiwrnod ond yr wyf i'n cadw dyddiadur! Yn cofnodi er mwyn medru crisialu. Nid rhith o 1665 ac ati ydy Hanes ond rhywbeth sydd yn digwydd inni yn ddyddiol, wythnosol, eiriasol.

Chwefror 17

Mae Geraint Dyfnallt Owen wedi marw yn 86 oed. Cofio mwynhau ei gwmni hefo Elwyn Evans a Huw Wheldon yn y Cymmrodorion. Yr oedd ei dad yn Archdderwydd ac mi sgwennodd Geraint gwpl o nofelau. *Nest* oedd enw un.

Hanesydd oedd wrth reddf ond ei swydd gyntaf oedd cynhyrchydd sgyrsie hefo BBC Cymru. Yn ystod y Rhyfel yr oedd yn ysbïwr ac yn Rwmania cyfarfu â Herta Druckman a syrthio mewn cariad dros ei ben a'i glustie. Gwnaed popeth gan yr awdurdode i geisio rhwystro'r briodas ond yr oedd y ddau yn benderfynol. Gweithio i wasanaeth rhyngwladol y BBC oedd o ac yr oedd yn siarad Rwmaneg a Serbo-Croat. Ac ar ben hynny dyma un arall oedd yn siarad Cymraeg goludog. Ac yn berchen cnwd da o wallt purwyn.

Byddai'n mynd i hwyl tawel wrth ddweud stori gan wybod y byddai chwerthiniad Huw Wheldon yn codi cŵn Llunden. Yr oedd cyfaill iddo adeg un etholiad, meddai, yn mynd o gwmpas yn canfasio ac wrth guro drws mewn rhes o dai sylwodd fod yna gi mawr hyll y tu allan yn aros i'r drws agor, ci â choler haearn, ci yn slefrian, pit-bwl. Nid oedd yn hoffi cŵn ond etholiad yw etholiad, felly dyma guro'r drws a chafodd groeso cynnes a gwahoddiad i fynd i mewn am baned. Aeth y ci i mewn hefo fo gan chwyrnu'n fygythiol ac eisteddodd ar ganol llawr y lolfa gan ddangos ei ddannedd. Yr oedd y canfasiwr nerfus a'r teulu siriol yn trafod materion y dydd a'r ci'n dal i chwyrnu. Yn sydyn dyna'r ci yn codi'i goes a gwneud dŵr nes oedd yn llifo dros y carped. Pawb yn dal i wenu. Penderfynodd yr ymgeisydd seneddol nad oedd yn hidio am bobl fel hyn a'i bod yn bryd gadael gyda diolch yn fawr am y baned. Wrth iddo gamu allan dros y trothwy, ebe gwraig y tŷ: 'Ydech chi ddim am fynd â'ch ci hefo chi?'

Chwefror 18

Helynt trist yn Lerpwl. James Bulger, 2 oed, wedi mynd ar goll tra oedd ei fam yn siop y cigydd ac wedyn gwelwyd ar gamera'r ganolfan siopa ddau fachgen ifanc yn ei arwain gerfydd ei law. Cafwyd hyd i'r bachgen bach wedi'i ladd yn ffiaidd a'i daflu ar lein y rheilffordd.

Chwefror 23

Mae'r golofn sydd gen i yn *Y Bedol* yn ennyn tipyn o ymateb. Beth wyf yn ei wneud yw edrych ar bob pentre yn y dalgylch i weld pwy oedd yn byw ynddyn nhw yn ôl Cyfrifiad 1881 ac 1891. Y mis hwn Llangynhafal a Llangwyfan sydd dan sylw. Roedd Cynhafal yn fab i Elgud ap Cadfarch ap Caradog Freichfras a'i wraig Tubrawst ac mae eglwys Llangwyfan yn dyddio o'r 5ed ganrif. Pam na fedyddir babis hefo enwe fel'ne heddiw tybed? Ar y llaw arall ni allaf ddychmygu Tubrawst na Chadfarch mewn pram.

Gwelir egin y Seisnigo mawr fu ar y ddau blwy gan fod yna nifer o Saeson wedi prynu rhai o'r ffermydd bras megis Plas-yn-Llan a'r Wern Fawr a Glyn Arthur. Os oeddech eisiau *portmanteau* newydd mi ddylech gael clamp o fargen gan mai gwneud *portmanteaus* oedd gwaith Richard Clamp yn y Plas Coch Bach. Roedd yna ddyn o'r enw Richard Jones yn byw yn Fferm Gellifor ac un haf adeg y cynhaeaf chafwyd dim byd ond glaw ddydd ar ôl dydd ac ni fu gwelliant hyd yn oed ar ôl Cyfarfod Gweddi arbennig yng nghapel Gellifor yn gofyn am hindda. Roedd Richard Jones wedi hen alaru ac aeth adre i nôl ei wn a saethu'r cloc tywydd. Tŷ enwog yn y fro oedd Hendrerwydd sydd erbyn heddiw yn Sain Ffagan fel enghraifft o dŷ hir Cymreig. Yn y fan honno y ganwyd Mary Foulkes, gwraig Thomas Gee.

Mawrth 1

Gŵyl Ddewi unwaith eto ac mae ein hiaith yn dal yn un answyddogol. Mae penboethiaid Tŷ'r Arglwyddi newydd ddweud mai aros yn answyddogol wnaiff hi. Nid cyd-ddigwyddiad yw'r ffaith bod lingo yn odli hefo jingo. Yn ystod y dyddie diwethaf bu'r Ddraig Goch answyddogol yn chwifio ym mhedwar ban byd, bu pobl yn canu ac areithio a mwynhau mewn iaith answyddogol. O ie, mae gennym hawl i'w siarad, canu ynddi, darlledu ynddi, gwneud ein bywoliaeth ynddi – ond gyda chaniatâd caredig. Mae hi'n wyrth ei bod hi'n dal yn fyw ac yn dal i gicio. Ac ar un olwg mae hi'n fwy swyddogol nag y bu erioed. Ac mae hi'n iaith sydd yn creu gwaith. Mae yna fyddin o gyfieithwyr wrthi. Mae bod yn gyfieithydd yn gofyn am sgilie arbennig, yn enwedig y dyddie hyn gyda'r holl derme gwyddonol a thechnegol a'r jargon ym myd addysg. Camgymeriad mawr yw gofyn i Mrs Jones Drws Nesa gyfieithu eich ffurflenni. Mae yne erchyllbethe'n digwydd. Megis hwnnw a welais yng nghyntedd neuadd y dref Rhuthun yn datgan bod yna Faes Parcio Cefnfor fel cyfieithiad o Main Car Park.

Rwyf yn dod wyneb yn wyneb â phobl uniaith hollol ddiglem, sydd yn gwybod dim am y gwahaniaethau rhwng ieithoedd. Fel y wraig honno ofynnodd i mi gyfieithu datganiad i'r wasg i'r Gymraeg. Yr oedd wedi rhoi papur i mi ac arno le i ugain gair i gyd-fynd â'r Saesneg. Pan aeth ati i gyfrif gwelodd mai deunaw gair Cymraeg oedd yna. Aeth yn wallgof. Eisiau gwybod pa ddau air Saesneg oeddwn wedi'u gadael allan. A oeddwn yn ceisio gwneud ffŵl ohoni? Ceisio'i pherswadio fod popeth wedi'i gynnwys a bod y Gymraeg weithie yn fwy cynnil na'r Saesneg, e.e. 'eleni' yn lle 'this year' ac 'echdoe' yn 'lle the day before yesterday'. Roedd hi hefyd yn methu deall pam nad oedd yne eirie cyfarwydd yn y cyfieithiad gan ei bod yn 'gwybod' nad oedd yna eirie Cymraeg am bopeth. Sut medrwch chi esbonio i rywun mor gibddall y cysylltiad rhwng Gwydion a gwyddoniaeth? Bod y gair 'peiriant' yn ymddangos yn y *Gododdin*. Credodd ei bod wedi fy nal pan welodd nad oes gair Cymraeg am alcohol. Na Saesneg chwaith, meddwn inne. Mae teliffon wedi dod o'r Roeg, siocled o'r Sbaeneg, byngalo o'r Hindi. Mae eisiau gras (ddaeth o'r Lladin).

Ac i goroni'r cyfan, dyma raglen Vincent Kane ar Radio Wales yn fy nghynhyrfu. Fo a chriw brith yn dathlu Gŵyl Dewi drwy holi a yw Cymru yn genedl a dod i'r casgliad nad ydyw. Wedyn trafod y pêl-droediwr Bobby Moore sydd newydd farw. Teyrnged haeddiannol i ŵr bonheddig. A wedyn dyma Kane yn dweud, 'When we won the World Cup'. Newydd syfrdanol i mi. Wn i fawr ddim am bêl-droed (er bod Cliff wedi bod yn reff hefo'r FA am flynyddoedd) ond mi wn nad yw Cymru erioed wedi ennill Cwpan y Byd.

Mawrth 9

Sion Aubrey Roberts o Langefni yn cael ei ddyfarnu'n euog yn Llys y Goron, Caernarfon, o fod â ffrwydron yn ei feddiant ac am anfon llythyre drwy'r post at ambell Geidwadwr amlwg megis Wyn Roberts ac Elwyn Jones. Anodd gwybod beth i'w feddwl gan fod yne gryn dipyn o huddyg yn y potes, sef criw o asiantiaid cudd yn stelcian yng ngogledd Cymru ac yn gwneud pethe digon amheus. Beth wna'r rhain pan ddeuant wyneb yn wyneb â therfysgwyr go iawn yn hytrach na llanc 21 oed o Ynys Môn?

Mawrth 31

Wedi bod yn gwrando ar Dr John, Bwlch-llan, yn trafod ei gyfrol ar hanes Cymru ar y radio. Yn fy ngholofn yn *Y Cymro* fe'i gelwais yn bolymath. Cefais lythyr cas gan un darllenydd. Yn dweud rhag fy nghywilydd yn dweud bod John yn debyg i barot. Peth ofnadwy yw diffyg Groeg.

Ebrill 3

Roedd yn rhaid chwerthin wrth weld ffiasgo'r Grand National yn Aintree heddiw. Ni chododd y tâp ar y cychwyn a bu rhaid galw pawb yn ôl. Yn naturiol, yn sŵn y carlamu a'r bloeddio ni chlywodd deg ar hugain o'r jocis mo'r alwad ac ymlaen â nhw rownd y cwrs! Un joci bach yn gorfoleddu wrth feddwl ei fod wedi ennill y Grand National – uchafbwynt pob joci, medden nhw – ond fe ddatganwyd nad oedd y ras yn ddilys, ddim yn cyfri. Yr oedd yna gryn dipyn o ddagre a rhegi – a chwerthin o du'r rhai oedd yn gweld y cyfan fel pantomeim. Profiad swreal oedd gweld y ceffyle yn dal i garlamu a'r jocis yn neidio ac yn chwipio ar eu penne i nunlle! Teledu magnetig ond mae'n siŵr na fydd y joci oedd yn meddwl ei fod wedi ennill byth yr un fath.

Ebrill 10

Ben, dair a hanner oed, yma ar ei wylie. Bachgen tal yn gwisgo dillad plentyn saith oed. Siaradus iawn a'r peth cyntaf a ddywedodd yn y drws oedd mai ei brif hobi mewn bywyd yw rhedeg ar ôl cathod. Cafodd Jonsi *nervous breakdown* yn y fan a'r lle. Glyn Davies yn galw am broflenni'r *Bedol* a Ben yn gofyn iddo beth oedd ei enw. 'Glyn. What's yours?' 'Benjamin.' 'And who's that?' meddai Glyn gan bwyntio at Cliff gan ddisgwyl clywed yr ateb 'Taid' ond meddai Ben, 'That's baggy longdrawers.'

Ebrill 24

Newyddion annifyr heddiw – mae Simon, gŵr Lesley, yn dioddef o'r clefyd melys a bydd yn gorfod chwistrellu bedair gwaith y dydd. Roeddym wedi sylwi ei fod yn ddychrynllyd o sychedig pan oedd yma bythefnos yn ôl. Elizabeth, merch y Barnwr Charles Evans Hughes o New Jersey, oedd y gyntaf i gael chwistrelliad o insiwlin a hynny yn 1916. Oni bai am hynny buasai wedi marw yn ei harddegau ond bu fyw i fod yn 73, diolch i insiwlin. Yr oedd hi'n arloesi. Ac o waed Cymreig.

Ebrill 27

Ffion wedi llwyddo yn ei phrawf gyrru. Rŵan am fynd! Byddai ei mam, Buddug, yn cael ei herian erstalwm pan fyddai'n chwyrnellu drwy'r dyffryn yn ei char sborts melyn a byddem yn dweud bod ganddi enw addas – fel Buddug gynt a'i phladuriau am ei holwynion yn 'sgrialu popeth o'i blaen.

Ebrill 28

Swpera yn y Coach House ac roedd criw yno o Grasdy'r Berwyn hefo'r perchennog, David Williams o'r Bala. Dyma fi'n gofyn iddo fo beth ddigwyddodd i'r pianola arferai fod yn ei gartre yn y Bala erstalwm, tua 1948. Methai gredu ei glustie – sut gwyddwn i am hwnnw. Wel – roedd ei chwaer Vonda yn yr un dosbath â fi a chofiaf fynd i'w chartre i gael te ryw dro a rhyfeddu at y piano oedd yn medru chware heb neb yn ei gyffwrdd! Mae'r pianola rywle yn Llangywer meddai a'i wyneb yn bictiwr.

Mai 7–10

Mae hi'n Ŵyl Llyfrgelloedd Clwyd mewn cydweithrediad â'r Academi. Rhai'n dweud bod byd y cyfarwydd wedi mynd yn anghyfarwydd ond cawsom wledd o siaradwyr cyhoeddus yn ystod yr wythnos. Gwrando ar Gerallt Lloyd Owen yn llyfrgell Dinbych yn trafod ei waith a'i achau. Y Barwn Owain a lofruddiwyd gan Wylliaid Cochion Mawddwy yn un o'i hynafiaid. Hoffi ei ddisgrifiad o Llwyd o'r Bryn – 'Teledu ein teulu ydyw'. Hynny yw – diddanwr yn llenwi'r lle. Hawdd credu bod y Llwyd yn dotio at y cog bach pengoch. Cawsom ein cyfareddu wrth wrando arno'n disgrifio'i gynhysgaeth a'i gynefin, dau beth a roddodd fod i'w farddoniaeth ysbrydoledig, o ddyddiau plentyndod pan oedd yn odli Anti Lwl hefo penbwl i'r cyfnod pan oedd ei gyfyrder Aeron Ty'n Ffridd yn meddwl bod ei rigwm 'yn ddiawledig o dda' i'r aeddfedrwydd presennol.

Wedyn ar yr 8fed i'r Cerrig i dalu teyrnged i un o neiaint Llwyd o'r Bryn, sef Tecwyn Lloyd fu farw mor sydyn fis Awst. Cawsom bortread llawn ohono. Ei gyfnither Dwysan yn ei gofio'n ymweld â'r Derwgoed ac yn traflyncu llyfre ei thad, ei fys yn troi cyrlen yn ei wallt wrth ddarllen nes roedd yn rhy dywyll i weld. Yn ddiweddarach roedd yn medru troi'r iaith rownd ei fys bach. Gwyn Erfyl wedyn yn ei gofio yng Ngholeg Harlech yn ei gadw'n effro gyda'i awen ganol nos a'i chware criced anghonfensiynol a esgorodd ar Bumed Cainc y Mabinogi nas cyhoeddir mohoni byth. A John Roberts Williams yn myfyrio uwch dyddie coleg ym Mangor a'r ddau fel rhyw Adda ac Efa academig yn gorfod gofalu am ryw lain o dir fel rhan o'u cwrs hyfforddi athrawon. Roedd y ddau yr un mor anobeithiol â'r llall. Dau gant yn y neuadd am ddwy awr yn mwynhau'r wledd ac mi fuase Tecwyn wedi mwynhau ei hun yn fawr.

Mai 18

I Rydonnen i weld y cathod newydd. Llond bocs ohonyn nhw a'r fam yn y canol yn gwenu. Gwirioni. Eisiau dod â nhw adre hefo fi. Ffermwyr yn llawn eu helbulon ar hyn o bryd. Adroddiad diweddar yn dangos nad yw plant amaethwyr yn dilyn yn ôl troed eu rhieni. Nid oes ramant nac elw mewn dilyn yr og a chodi gyda'r wawr. Un o eirie mawr y mis yw 'arallgyfeirio' a gwelir ffermwyr yn dechre magu defaid Jacob a lamas. A meddyliais eu bod am ddechre magu anifeiliaid heglog, blewog, carneddog o'r enw Iacs. Ond erbyn deall rhyw ffurflenni cymhleth yw Iacs. A beth am yr anifail arall hwnnw – y Sigar. Ond na! Ystyr hwnnw yw System Integreiddio Graddio a Rheolaeth, ac y mae angen cofrestru popeth ar y tir, o bry genwair i darw Charolais. Mae angen i'r ffurflenni fod yn nwylo'r Swyddfa Gymreig ers echdoe a rhaid anfon map i brofi mai chi piau'r pry genwair a'r tarw a rhestru pob cae a'i faint.

Ond mae nifer o ffermwyr mewn helynt yn barod oherwydd nad oes ganddyn nhw fap addas ac mai enwe ac nid rhife sydd ar ddolydd Cymru. Nid yw'r mandariniaid yn sylweddoli bod enw sawl cae yn hŷn nag enwe ein ffermydd yn aml iawn a bod y ffridd a'r weirglodd, y gotel a'r wern yn rhan o'n hanes.

A dyma fi'n dechre meddwl am enwe Rhydonnen. Mae

ystyr Cae Llwybr yn amlwg. Ond beth am Cae Dafydd a Pharc Wil, Tyddyn Ambrose a Thir Tlodion? Ac mae yno Gae Eroplên ac nid yw hwnnw yn enw o'r canoloesoedd. Syrthiodd awyren Almaenig i'r cae hwn ar 27 Mehefin 1943, rhif AX679, ac anafwyd y peilot yn ddrwg a'i gymryd i'r ddalfa. Enw newydd ar gae ond yn rhan o'n hanes er hynny. Ond mae biwrocratiaeth yn mynd i'w dileu.

Mai 22

Cyfarfod Blynyddol Undeb Awduron Cymru yng Ngregynog a phenderfynu mynd am fy mod yn teimlo y dylwn gefnogi hawlie awduron sydd yn aml iawn yn cael eu trin yn anghyfiawn gan gyhoeddwyr. Darlith gan Glyn Tegai yn y bore a phanel yn y pnawn ar y thema 'Magu Croen'; ar y panel yr oedd John Emyr, Iwan Llwyd a finne, ac Islwyn Ffowc yn cadeirio. Cafwyd rhibidirês o gwynion am weisg ac adolygwyr. Cefais gyfle i gwyno am un adolygydd a feirniadodd fy nannedd yn hytrach na thrafod y gyfrol!

Roedd cyfle i aros y noson yng Ngregynog os dymunem, a dyma Cliff a fi yn meddwl ei fod yn syniad da a dyma archebu stafell a swper. Yn anffodus, dim ond ni ein dau benderfynodd aros. Tipyn o siom a ninne wedi edrych ymlaen at bryd o fwyd a thipyn o gymdeithasu. Pan ddaeth yn amser mynd i'r ffreutur am swper, darganfod bod ein bwyd a photel o win y talwyd amdani yn eistedd y tu ôl i'r gril a hwnnw wedi'i gloi. A neb o gwmpas. Felly dim swper. I'r stafell wely wedyn ond nid oedd yno olau, dim bylb yn y lampe. Dim darllen, molchi yn y tywyllwch ac yno y buom fel tyrchod daear. Neb o gwmpas. Neb yno yn y bore chwaith inni gael cwyno. Mynd adre a'n cynffonne rhwng ein coese ac ysgwyd llwch y lle oedd ar ein sandale. Teimlo'n arbennig o flin oherwydd bod Cliff druan wedi eistedd drwy'r dydd heb ddeall dim a finne wedi meddwl y bydde swper go dda a photel o win yn gwneud iawn am hynny.

Mai 28

Rhaid dathlu. Flwyddyn i heddiw am ddeg munud i ddeg y bore ym maes parcio Ysbyty H M Stanley yn Llanelwy y cefais fy sigarét olaf. Nid oeddwn yn gwybod ar y pryd mai honno fydde'r olaf, onid buaswn wedi'i mwynhau i'r milimetr eithaf yn hytrach na rhoi fy sawdl ar o leiaf hanner modfedd ohoni. Drannoeth y driniaeth roedd llond ward o ferched yn dechre dod atynt eu hunain a'r ymennydd yn dechre meddwl am bethe megis paned o de a phapur newydd – a sigarét. Hynny yw, blaenoriaethe wrth ddechre teimlo'n well. Ond mai sigarét oedd y flaenoriaeth fwyaf i rai. Gwelais ferched yn codi o'r gwely fel Lefiathan o'r eigion, yn cerdded yn eu dau ddwbl i lawr y coridor. Er mwyn mwynhau eu smôc gyntaf ar ôl yr op. Wedyn fe'u gwelais yn dychwelyd mewn artaith a phob hwrdd o besychu yn straen ar bob pwyth. Eu hwynebe fel gargoelion. Yr eiliad honno y gwelais wiriondeb y sefyllfa a phenderfynu rhoi'r gore iddi ac aeth Cliff â'r paced adre a'i daflu i'r afon. Medde fo. Deuthum o hyd iddo ar ben cwpwrdd yn y gegin ymhen rhai wythnose ond erbyn hynny yr oeddwn yn ddiogel. Fedrwch chi ddim cuddio pethe oddi wrth wraig y tŷ!

John Major yn newid ei gabinet ac Ysgrifennydd Gwladol newydd Cymru yw rhywun o'r enw John Redwood. 'Who's he?' cytganodd pawb. Sais adain dde sy'n cynrychioli Woking. Yr wyf yn ame mai brodor o blaned Fwlcan ydyw.

Mehefin 25

I Langernyw heno. *Pawb a'i Farn* yn fyw hefo Gwilym Owen yn llywio. Ar y panel hefo fi yr oedd Roger Roberts, Branwen Jarvis a Gwyn S Lewis, a chawsom gwestiyne megis pa mor ymarferol fydde ariannu'r pleidiau o'r pwrs cyhoeddus; pwysigrwydd y teulu (hwnnw wedi'i anelu ataf i, ebe

Gwilym, oherwydd fy niddordeb mewn achau); dyfodol y byd amaeth a rhyddid y wasg. Llwyddais i ddod allan yn fyw. Cafodd Gwyn amser caled fel Tori rhonc.

Mehefin 26

I Wrecsam i briodas Sian Christina, un o efeilliad Angharad. Diwrnod braf a gwledd yng ngwesty Dewi Sant yn Ewlo. Llythyr neis gan John Roberts Williams yn canmol *Y Bedol*, 'un o'r goreuon a mwya deniadol o'r papurau bro,' meddai, gan ychwanegu ei fod yn gweld colli'r *Faner*. Hwb go arw i hyder rhywun yw llythyr o'r fath gan rywun sydd yn cyfri.

Gorffennaf 8

Wel, mae ein Ysgrifennydd Gwladol newydd wedi agor ei geg a dweud mai mamau dibriod Llaneirwg yw achos holl ddrygioni'r cread. Merched anghyfrifol, pechadurus yn disgwyl i'r trethdalwyr dalu am fagu eu plant. Rwyf yn arogli llygoden fawr. Mae'r holl blant a nifer o'r mamau wedi cael eu geni yn ystod teyrnasiad Magi. Ac yn ystod y teyrnasiad hwnnw crëwyd dyledion anferth. Mae'r blaid las yn y coch. Rhaid cael arian o rywle oherwydd maen nhw wedi gostwng y dreth incwm. Beth am ymosod ar y gweinion – hen bobl a mamau sengl, a chafodd y Cabinet weledigaeth: beth am awgrymu i Redwood ymosod ar y mamau didoreth hyn, rhoi braw iddyn nhw, bygwth mynd ag arian oddi arnyn nhw, awgrymu y dylent ddod o hyd i ddyn yn reit handi. Rhyw hen swydd fach reit ddibwys sydd gan Redwood beth bynnag, mewn rhyw gilcyn o dir, felly fydd dim ots os gwnaiff o bechu. Wrth gwrs, mae yna bobl ddidoreth yn lladd llygoden a'i bwyta. Ond nid trwy fygwth eu llwgu y mae peri iddyn nhw gallio.

Gorffennaf 30

W. J. Edwards yn ffonio o Gaerfyrddin eisiau gwybod

oeddwn i wedi clywed bod Gwilym R. Jones wedi marw. Nag oeddwn ddim. Yr oedd yn 90 oed. Mae arnaf ddyled fawr iddo. Ddechre'r 60au mi anfonodd air yn gofyn fuaswn i'n barod i sgwennu colofn wythnosol i'r *Faner*. Cynnig gini yr wythnos. Yr oedd hynny'n ffortiwn. Dyna gychwyn 'Llythyr Llundain' a hefyd fy nghysylltiad hir erbyn hyn gyda'r wasg, a'r *Faner* yn fwy arbennig. Roedd Gwilym R. yn ddyn clên iawn ac yn fardd gwych wrth gwrs. Bu farw yn ei gadair ar drothwy'r Steddfod. Byddaf yn defnyddio ei gerdd 'Mi af i'r coed i wylo am yr hen bobl' ar ddiwedd fy sgyrsie am bwysigrwydd achau.

Gorffennaf 31

Dyma fy neugeinfed Steddfod! Er mai rhyw ddiwrnod neu ddau a gefais yn y Rhyl yn 1953. Roedd hi'n grasboeth a rhaid oedd mynd adre i gario ŷd. Eleni rydym yn Llanelwedd ar faes y Sioe. Y rhai cyntaf a welais ar y Maes heddiw oedd Gwylfa ac Olwen – yntau'n gefnder i Mam. Yn byw ym Morth-y-gest erbyn hyn, wedi symud o'r Bala. Yn ddiogel yn waled Gwylfa yr oedd yna siec am £1000, sef gwobr i'w fab, Iwan Bala, sydd wedi ennill y Fedal am Gelfyddyd Gain. Mae Iwan yn Zimbabwe. Ble gafodd o'r ddawn? Fedraf i ddim tynnu llun pin hyd yn oed. Ond yr oedd brawd i'n hen hen daid ni ein dau yn fardd – fe wyddom iddo gyfansoddi un englyn o leiaf. Mae o ar bared capel Wesle Rhewl, Llandysilio-yn-Iâl. Pawb wedi clywed amdano? Llewelyn Benfelyn Fardd oedd ei enw . . .

Anelu am y gwesty – tafarn ym Mhen-y-bont rhyw ddeng milltir o'r Maes. Enw gwreiddiol y lle yw Pen-y-bont Rhyd y Cleifion a bu Lewis Morris yno yn 1787, a Chymraeg oedd yr iaith yma yr adeg honno. O leiaf dyna a ddywedir mewn cyfrol fechan handi a brynais, sef *Enwau Lleoedd Buallt a Maesyfed* gan Richard Morgan a G. G. Evans yn y gyfres wych Llyfrau Llafar Gwlad.

Mae Helen yn yr awyr ar ei ffordd i Seland Newydd i weld Walter ym Mhrifysgol Palmerston North. Chawn ni ddim sgwrs am dair wythnos.

Awst 1

Anfantais cychwyn ar y Sadwrn yw Sul segur. Pam na chawn ni dipyn o gystadlu, tybed? Felly dyma fynd i Gilmeri a chyffwrdd â'r maen enfawr sydd yn nodi lle lladdwyd Llywelyn ein Llyw Olaf. Mae yno naws. Tynnu llun a chrugo na fuaswn wedi dod ag awdl Gerallt i'w darllen yno. Gan nad oedd adyn o gwmpas bloeddiais 'Wylit, wylit, Lywelyn' dros y lle. Daeth crawc brân yn cytuno â mi.

Galw yn y Metropole, Llandrindod, am goffi a darganfod bod y llwythi'n dechre dod ynghyd. Rofi'r consuriwr yn dangos rhai o'i dricie cardie i griw o Saeson o Gaint. Egluro iddynt mai dyma yw Eisteddfod! Cawsant agoriad llygad, gan eu bod bob amser wedi meddwl, medden nhw, mai core meibion a derwyddon oedd hi. Ond – consuriwr?

Darganfod bod Cliff a Rofi bron yr un oed i'r diwrnod. Y ddau wedi eu geni fis Tachwedd 1919. Papur Sul yn datgelu nad yw John Redwood am ddod i'r Steddfod. Wel, be ddwedwn ni – 'Hwrê!', ynteu, 'Cywilydd'!

Awst 2

Yn y Babell Lên yn y bore. Ym mlwyddyn ei ganmlwyddiant lansiwyd llythyrau Saunders Lewis at ei ddarpar wraig, Margaret Gilchrist. Cyfrol swmpus (Saesneg) yn swnio'n ddiddorol. Hefyd cyhoeddwyd plât arbennig. Yn rhyfedd iawn mae yna gysylltiad rhwng SL ac Alun Evans, Cadeirydd y Pwyllgor Gwaith, er na soniwyd am hynny, sef ei fod yn nai i Lewis Valentine. Dylwn fod yn Ninbych heddiw yn angladd Gwilym R. Nifer o eisteddfodwyr yn methu mynd. Cafodd fywyd llawn a llawen a marw'n ddiffwdan yn ei gadair. Gwnaeth ddiwrnod da o waith dros Gymru – rhwng ei farddoniaeth a'i nofelau heb sôn am ei lafur fel golygydd. Ac aeth â llu o gyfrinachau i'r bedd. Dywedodd wrthyf unwaith bod yna lythyrau yn y banc yn Ninbych allai godi gwallt pen cenedl. Prynu *O Groth y Ddaear*, hunangofiant Geraint Bowen, ac eisiau gweld beth sydd ganddo i'w ddweud am ei gyfnod fel golygydd *Y Faner*. Dim llawer, yw'r ateb. Ond ceir awgrym o loes. Bu'r *Faner* yn greulon hefo'i golygyddion.

Bu rhyw Michael Fabricant ar y Maes heddiw – AS o ymysgaroedd Lloegr. Roedd yn un o'r Saeson fu'n cymryd arnynt fod yn fud a byddar ar bwyllgor seneddol y Mesur Iaith. Masnachwr yw ystyr ei enw a gwnaeth ei ore i werthu ei safbwynt i'r picedwyr iaith. Daeth y geirie anfarwol '*Piss off*' o'i enau.

Robert John Roberts o Ffestiniog yn ennill ar yr unawd contralto. Hogyn pengoch a llais anarferol yr uwch-denor ganddo yn cystadlu yn erbyn merched am nad oes cystadleuaeth ar gyfer y math hwn o lais. Yn ei hoffi yn fawr. Cofio record oedd gennym yn y fflat erstalwm ac Alfred Deller yn canu 'To Music' gan Purcell. Yr oedd yn heintus. Ond yr oedd y beirniaid answyddogol ar y teledu heno yn dweud pethe anystyriol iawn am y canwr o Stiniog. Digon i beri iddo roi'r gore i ganu am byth.

Treulio awr ar *Stondin Sulwyn*. Ymddengys bod rhai'n ystyried cyhoeddi cylchgrawn wythnosol gan fod bwlch ar hyn o bryd. Nid ymosod ar *Golwg* yw dweud bod eisiau rhywbeth gwahanol. Y rhan fwyaf yn cytuno – heblaw Wyn Mel. Yr ail bwnc oedd y Mesur Iaith – ni allwn ddianc rhag hwn. Byddwn yn ei drafod tan ganol y mileniwm nesaf.

Eirwyn George yn ennill y Goron. Y Bwrdd Dŵr yn rhoi hanner y wobr ariannol. 'Llynnoedd' oedd y testun. Gobeithio nad yw'n bryddest sych! Rhuthro am y copi blynyddol o *Lol*. Siom. Dim gair amdanaf.

Awst 4
Sgwrs hefo un o'r hen ffrindie coleg, Ella Owens sy'n byw ym Mhorthaethwy.
Fis Medi'r flwyddyn nesaf bydd yn ddeugain mlynedd ers inni fynd i'r Coleg Normal. Beth am aduniad? medde Ella. Grêt, medde fi. Ac ar yr un pryd eisie strancio wrth feddwl i ble'r aeth y blynyddoedd. Rhaid ceisio cael gafael ar bawb. Wrth lwc mae gen i syniad go lew ym mhle mae'r rhan fwyaf o'r merched a phwy maent wedi'i briodi ac enwe eu plant.

Cael f'atgoffa ymhellach o dreigl y blynyddoedd wrth sylweddoli fy mod yn cofio geni Siân Gwynedd, yr eneth landeg sydd newydd ymuno â staff *Y Cymro*. Dweud wrthi ein bod yn perthyn ac fe welwodd hithe. Ond ei chysuro drwy ddweud mai perthynas andros o bell ydi hi. Daeth rhyw wawl ryfedd dros ei llygaid wrth i mi geisio egluro sut. Mae'n hollol syml: roedd ei hen hen hen daid yn frawd i fy hen hen hen daid i. Huwsiaid Gelli Isa ger y Bala oedden nhw.

Pistyllio drwy'r dydd. Prin yr euthum allan o swyddfa'r wasg. Gwobr Goffa Daniel Owen am nofel yn mynd i Endaf Jones. Hywel Teifi yn dweud wrth feirniadu na fyddai'r hen Ddaniel ei hun yn medru ei hennill. Dim ond dau wedi cystadlu. Onid gwell fyddai rhoi'r wobr i nofel a gyhoeddwyd rhwng dau Awst? Math o Lyfr y Flwyddyn?

Mihangel Morgan yn ennill y Fedal Ryddiaith. Wedi torri ei wallt. Yn ei gofio'n gweithio yng Nghanolfan Grefft Rhuthun er bod ganddo enw gwahanol yr adeg honno. Pan aethom yn ôl i'r gwesty yr oedd yno le go arw. Hwn yw diwrnod Rasys Blynyddol Pen-y-bont. Yn cael eu cynnal ers 1921 a dyma'r tro cyntaf iddi lawio. Ac mi lawiodd! Er hynny, denwyd ugeinie o gefnogwyr gan gynnwys llawer o rai a elwid yn Sipsiwn. Nid oedd lle i symud yn y dafarn a bu'n gyfeddach tan yr orie mân. Eirian Davies a Dewi Z yn methu cysgu!

Awst 5

Un o'r meysydd parcio wedi cau oherwydd y mwd. Nifer o bobl fethedig mewn trafferth wrth orfod cerdded o faes parcio llawer pellach i ffwrdd. Araith wych gan John Elfed Jones, llywydd y dydd. Ein hatgoffa bod y Ddeddf Uno wedi'i diddymu ac mai trwy gydweithio y mae mynd â'r maen i'r wal. Nid yw ef, fel aml un arall, yn hapus gydag arweiniad presennol Cymdeithas yr Iaith.

Dau o ohebwyr y *Western Mail* yn gorfod gadael y Maes, wedi cael gwenwyn bwyd yn eu gwesty. Yn sâl fel cŵn. Rhywun yn dweud mai wedi bwyta ei eirie ei hun yr oedd Clive Betts! Teyrnged i Bedwyr yn y Babell Lên ac yr oedd un i Tecwyn echdoe. Methu mynd i mewn. Yn orlawn. Ar gyfer rhai pethe y mae yne giwio brwd. Llawer yn gofidio bod y beirniadaethe llenyddol wedi'u hepgor eleni. Y cystadleuwyr ddim yn gwybod pryd i fynd i glywed y dyfarniad. Cafodd pob enillydd lythyr, medden nhw, ond ni wyddai'r collwyr hynny!

Gwrando ar Bruce Griffiths yn y bore – trafod thema allweddol yng ngwaith SL sef y Dihiryn wrth y Drws. Methu ei glywed am ei bod yn stormus, fflapiau'n fflapio, cadeiriau'n gwichian a rhaffau'n tuchan. Ond yn fras yr hyn a ddywedodd oedd bod y 'cnaf esgymun' yn thema gyson ganddo. Yr oedd y ffaith i'w hen nain Gwern Hywel redeg i ffwrdd i briodi'r 'tramp bregethwr' wedi bod yn fricsen yn adeiladwaith ei deulu.

Un o bamffledi'r Comisiwn Coedwigaeth yn cael ei wthio i'm llaw. Y frawddeg gyntaf: 'Bydd rhai ohonom yn anymwybodol . . .' Oeddwn. Ar ôl diwrnod blinedig a swper go dda.

Awst 6

Cryn dipyn o ysgwyd pen a digalondid o gwmpas y Maes. Niferoedd i lawr, pawb ar wasgar, y stondinwyr yn teimlo mai 'i fyny yn fancw' mae pethe'n digwydd. Prinder cystadleuwyr mewn rhai adrannau. Ond pawb yn llonni ar ôl y Cadeirio. Dic Jones yn traddodi heb bwt o bapur o'i flaen, yn teimlo i'r byw ac yn smala bob yn ail. Meirion MacIntyre Huws yn cael y Gadair. Y Wesleaid yn ei nabod fel Mac, cartwnydd *Y Gwyliedydd*. Criw newydd yn cael eu harwisgo bore gan gynnwys Bryn Terfel, Jan Morris a Menna Elfyn. Y *Cyfansoddiadau* yn hynod ddarllenadwy fel arfer ond mae yna un dirgelwch bach. Roeddwn wedi anfon ymgais i gystadleuaeth Sgwrs Ysgafn Wedi Cinio, ond ym meirniadaeth Huw Llywelyn Davies nid oedd sôn am fy ffugenw na gair o gwbl am f'ymgais. Oeddwn i mor echrydus â hynny? Roeddwn yn meddwl bod gofyn i feirniad sôn am bob ymgais.

Ac i wneud pethe'n waeth, roedd yna sioe ar y Maes gyda phedair merch osgeiddig a'u boliau fflatied â styllod yn arddangos aerobics. Hysbysebu fideo arbennig sydd yn cael ei chyhoeddi gan Sain oedden nhw, gan wneud i'r rhelyw blonegog ohonom deimlo'n ddigalon iawn. Rhaid oedd cysuro fy hun drwy fynd i brynu rhywbeth ac anelais am babell Catrin Timothy a phrynu anferth o grys T ac arno'r geiriau 'Mw mw me me cwac cwac'.

Awst 7

Pwnc trafod pawb yw safon rhaglenni'r ŵyl ar y teledu. Yn ôl y sôn, maent yn anfeidrol sâl. Yn arbennig rhywbeth o'r enw *Swig o Ffilth*. Sylwer mai'r bechgyn sydd yn cael y rhannau amlycaf ar y rhaglenni a hiwmor bechgyn pumed dosbarth geir ganddyn nhw. Ond dyma fi'n cofio'n sydyn nad at ryw hen ffôgi fel fi y maent yn anelu ond at egin gwlad. At ein dyfodol. At arweinwyr eisteddfodau'r ganrif nesaf. Ond o sgwrsio ag egin gwlad ac arweinwyr eisteddfodau'r ganrif nesaf nid oeddynt hwythau chwaith yn gweld llawer o ddoniolwch yn y Swig nosweithiol. Yr wyf yn amau nad yw'r trendis sydd yn gyfrifol am ein rhaglenni yn 'nabod eu cynulleidfa o gwbl. Siarad hefo'i gilydd maen nhw . . .

Yn ystod y nos torrodd rhywun i mewn i babell Cylch a gadael negeseuon ffiaidd yno. Heddiw gwisgodd rhai o'r aelodau fel lleianod a bygwth llanast ym mhebyll y gwahanol enwadau. Eironig iawn oedd y derbyniad gawsant ym mhabell y Bedyddwyr. Taflwyd bwcedaid o ddŵr drostyn nhw. Er nad wyf yn cymeradwyo'r fath weithred anghristnogol, yr oedd yn rhaid chwerthin.

Gwylio'r teledu yn y gwesty fin nos ac yr oedd yr holl hysbysebion yn bla. Colli'r feirniadaeth ar wobr Llwyd o'r Bryn yn gyfan gwbl. Washington James yn ennill y Rhuban Glas ar ei chweched ymgais. Ffarwelio trist â phawb fel arfer.

Awst 8

Adre erbyn hanner dydd ac edrych ymlaen at ddau beth: gweld a yw wyau'r llinos werdd wedi deor yn y nyth uwchben y drws a gweld Jonsi'r Gath. Darganfod bod yne ddau gyw yn y nyth a chael croeso swta gan Jonsi. Roedd hi'n llawer rhy brysur yn gwylio'r nyth ac yn cymryd arni nad oedd wedi sylwi ein bod wedi bod i ffwrdd. Pethe fel'ne ydy cathod. Ac fe fu'n Steddfod wahanol – rhai ohonom yn teimlo mai gŵyl ail-law oedd hi a bod y Sioe Frenhinol yn eistedd fel rhyw froga du ar ein hysgwyddau ac yn crawcian mai anifeiliaid biau'r Maes. Roedd fel byw yn nhŷ rhywun arall am wythnos yn yr haf a methu dod o hyd i'r ffrij.

Yr oedd yne fanteision wrth gwrs, llwybrau sych i gerdded arnyn nhw ac ystafell helaeth i'r wasg er ein bod yn teimlo'n chwith heb yr hwrlibwrli cefn llwyfan.

Awst 14

Wedi bod yn teipio cofrestri plwy ers wythnose ar gyfer eu cyhoeddi gan y Gymdeithas Hanes Teuluoedd. A chanfod nifer o gofnodion difyr iawn! A sylwade'r offeiriaid yn aml yn syfrdanol, fel hwnnw yn 1745 yn dweud bod Mary, plentyn siawns, wedi cael ei bedyddio a bod y fam wedi cael dau blentyn siawns o'r blaen a sefyll ei phrawf am lofruddio'r ail, ond 'yn anffodus ni chafodd ei chrogi,' medde'r ficer cignoeth. A beth am J. W. Kirkham, ficer Llandysilio-yn-Iâl, yn dweud yn Gymraeg (sydd yn anarferol iawn), 'claddwyd Jane Evans Tan y Fron yn 36 oed Ionawr 6ed 1845. Gwreigan a fu'n achos anghydfod pan yn fyw ac a fu'n achlysur mwy o gythrwfl pan fu farw.' Ys gwn i beth oedd Jane wedi'i wneud? Ac yn Llanrwst lladdwyd mam a merch pan sigodd y nenfwd yn eu bwthyn oherwydd pwyse'r tatws oedd yn cael eu storio uwchben. Croniclwyd angladd yn Llandrillo-yn-Rhos o blentyn fu farw o'r frech wen ac ni ddaeth neb i'r angladd. Ond fy ffefryn yw cofnod o Rosllannerchrugog yn dweud bod yne blentyn siawns wedi'i fedyddio ac enw'r tad oedd John Cariad Pawb. Tipyn o foi, uffern.

Medi 4

Priodas Catrin Myfanwy, merch fy nghyfnither Mair, yn y Capel Mawr, Dinbych. Canwyd emyn a gyfansoddwyd yn arbennig ar gyfer heddiw gan ei thaid ond nid oedd ei thaid yn y briodas. Oherwydd bu farw Gwilym R. fis yn ôl. Y wledd yng Nghastell Rhuthun.

Medi 9

Cyd-ddigwyddiad rhyfedd. Clarri (sef f'ewythr Harri) yn gofyn i mi sut oedd Morgan. Eisiau paned oedd o. Nid oeddwn erioed o'r blaen wedi clywed y tegell yn cael ei alw'n Forgan a dyma fo'n adrodd rhigwm:

Wel, Mari rho Morgan ar y tân
A'r llestri a'r llwye'n eu lle,
A gwna i'r hen Forgan roi cân
Er mwyn cael cwpaned o de.

Ac wedyn, yr un diwrnod, dyma glywed Tegwyn Jones ar y radio yn dweud mai un enw ar de yw Morgan Rondel. Mae'r dirgelwch yn cynyddu.

Hydref 9
Gadael y tŷ am 6 y bore ac erbyn heno rydym yng nghaban 6014 ar fwrdd y llong *Cunard Princess* wedi inni hedfan i Athen. Hwylio am 8 heno. Wrth ein bodd ar long bleser.

Hydref 10
Y môr yn llyfn a glas a chyrraedd Kosadasi (Ynys yr Adar) yn Nhwrci ganol y bore. Twristiaeth yw prif ddiwydiant y dref hon ar lan Môr Aegea. Dywedir mai yma y daeth Sant Ioan â Mair wedi i'r Iesu ofyn iddo edrych ar ei hôl. Mae muriau'r dre yn werth eu gweld. Anhygoel o boeth.

Hydref 11
Cyrraedd ynys Mykonos am 7 y bore a sŵn yr angor yn cael ei ollwng yn y bae ddaru ein deffro ni gyda'i rygnu cras. Nid yw'r porthladd yn ddigon mawr i barcio llongau pleser ac felly rhaid cael cwch i'r lan ac er bod y môr fel y gwydr diarhebol yr oeddym yn bownsio fel peli ffair. Ynys yn perthyn i wlad Groeg ydy hi, 41 milltir sgwâr. Enwyd hi ar ôl un o wyrion Apollo. Dywedir bod yma fywyd nos bywiog iawn. Wrth gerdded i lawr y stryd, dywedais 'Helô' wrth y mul amyneddgar oedd yn sefyllian yng nghysgod olewydden. Roedd y creadur bron o'r golwg dan fasgedi enfawr yn llawn orenau a lemonau. Dim ond ei ben oedd i'w weld a'i glustie drwy ddau dwll yn ei het wellt.

Cael coffi yn nhafarn Kavos ac yr oedd y gweddillion ar waelod y cwpan yn f'atgoffa o'r slwj lanwai ein sgidie wrth neidio ffosydd Maerdy erstalwm. Clywed acen Gymraeg a dweud 'Helo!' wrth Pam a Colin Brace o Bontllan-fraith yng Ngwent. Clicio hefo nhw yn syth. Dyma Pam yn tynnu

cwdyn allan o'i bag a gweithiodd hwnnw fel rhyw radar oherwydd heidiodd cathod o bob cyfeiriad tuag atom. Meddai Colin, 'Mae Pam wedi bwydo cathod ym mhedwar ban byd!'
Yna cerddodd y Pibydd Brith o Bontllan-fraith allan ar y teras lle roedd cryn ddwsin o gathod main yn cilwenu yn yr haul. Cyn pen eiliad roeddynt mewn llesmair o orfoledd wrth weld y bwyd yn llaw Pam. Ymledodd y neges ac wele, carlamodd cathod o'r terasau, yn neidio dros y waliau a drysau a'r toeau ac i lawr y strydoedd culion ac o ganghennau'r coed olewydd gerllaw. Mae Colin yn aelod o'r drydedd genhedlaeth mewn cwmni gwneud bara. George Brace, ei daid, gychwynnodd y busnes pobi a brawd iddo oedd William Brace oedd yn aelod o Gabinet Lloyd George. Olynwyd ef fel AS Abertyleri gan y nodedig Mabon.

Un arall sydd wedi dysgu bod yn amyneddgar ar lan y môr ym Mykonos yw'r Hen Belican. Maent yn dweud bod hwn wedi gweld cymaint o dwristiaid fel y medrai newid y ffilm yn eich camera. Mae o'n hen iawn, medden nhw. Sumâi wa, medde fi wrtho.

Hydref 12

Cyrraedd Rhodes yn y bore. Dyma lle roedd y Colossus, un o Saith Rhyfeddod yr Hen Fyd. Yr ynys wedi bod yn lle allweddol yn hanes y byd gan ei bod ar groesffordd rhwng Ewrop, y Dwyrain Canol ac Affrica. Felly mae yna gryn newid wedi bod yn y llywodraethau a'r boblogaeth. Aethom ar daith liwgar a'r môr ar bob ochr a heibio caeau o dybaco a chotwm a pherllannau o olewydd a lemon. A hefyd yn eu canol, siopau Asda a Kwiksave! Wedi mynd drwy nifer o bentrefi bach, cyrraedd Lindos a theml Athena sydd yn 3,000 oed. Islaw mae'r bae lle glaniodd Sant Paul – fel a gofnodwyd yn Actau 21. Clywed na fyddwn yn galw yng Nghyprus fory gan bod streic fawr. I ginio heno cefais goctel corgimwch, *consomme* Girondine, *sorbet*, cig oen hefo pump o wahanol lysiau, pwdin cnau, ffrwythau a choffi. Bydd rhaid lledu'r drysau ar ôl mynd adre.

Hydref 14

Wedi bod ar y môr drwy'r dydd ddoe ac yr oedd yn braf cael rhoi troed ar *terra firma* heddiw ac mi gawsom ddiwrnod hir ond difyr dros ben. Ar y bws am 8.30 a theithio i gyfeiriad Môr Galilea (sydd yn fwy na Llyn Tegid) a Bryniau Golan y tu cefn (tebyg i Foel Fama). Sefyll ar lan yr Iorddonen (ddim mor ddofn) a gweld rhyw ddyn yn cael ei fedyddio drwy drochiad. Yn yr union le y bu Ioan Fedyddiwr, medden nhw. Mae'r tir yn ffrwythlon iawn – digonedd o olewydd, afocado, bananas a lemonau. Teithio drwy Nain lle codwyd mab y weddw o farw i fyw. Yna i Gapernaum i weld tŷ Pedr a'r synagog lle pregethodd yr Iesu un tro – dotio at y blodau *bougainvillea* porffor a phiws a phinc yn afradlon yn y perthi ac o gwmpas y drysau ym mhobman. Ond llanast ar y strydoedd, papur a thuniau a photeli a theiars.

Ein tywysydd yn y bore oedd Ronnie a ddatganodd iddo gael ei eni 'in the Holy City'. Ninne'n meddwl mai am Jeriwsalem yr oedd yn sôn. Ond na! Efrog Newydd! Dywedodd mai Israel yw'r unig wlad yn y byd lle mae yna fynegbyst yn dangos enwau megis Bethlehem, Nasareth a Nebo a Bethesda. Rhaid oedd ei oleuo. Nid oedd yn credu. Drwy Diberias i Eglwys y Gwynfydau ac yna i Eglwys y Bara a'r Pysgod a chael pryd o fwyd yn *kibbutz* Ginosar lle mae 600 yn byw – ac a sefydlwyd gan ffoaduriaid cyn 1939. Drwy Gana i Nasareth, dwy dre Arabaidd dlawd, i fynydd Carmel a chyfarfod dau o sir y Fflint oedd yn nabod teulu Cliff. A'u clywed yn lladd ar yr iaith Gymraeg wrth Americaniaid. A'r Americaniaid yn anghytuno hefo nhw . . .

Pwy ddywedodd na ddaw dim da o Nasareth? Yno y clywais y newydd bod Cymru wedi curo Cyprus mewn gêm bêl-droed allai ein harwain i gystadleuaeth Cwpan y Byd am y tro cyntaf ers 1958. Nid oedd y gweddill ar y bws yn medru rhannu'r llawenydd pan dorrwyd y newyddion iddynt bod Lloegr wedi colli yn erbyn yr Iseldiroedd, a Moshe, gyrrwr ein bws, yn llawn *Schadenfreude* am fod Israel wedi curo Ffrainc. Does gen i affliw o ddiddordeb yng Nghwpan y Byd ond yng nghanol criw o Saeson yn Israel yr oeddwn yn llawn brwdfrydedd ac yn cymryd arnaf fy mod yn gwybod achau pob un o'n chwaraewyr ni. Cliff yn difetha'r cyfan drwy chwerthin am fy mhen.

Egluro i Moshe pa mor hapus oeddem a mynnai yntau fy ngalw'n Saesnes. Nid oedd yn credu bod Cymru yn genedl wahanol. Iaith wahanol hefyd? Ha ha ha. A dyna wneud yr anfaddeuol a chyda holl angerdd f'enaid, dweud 'Llanfairpwllgwyngyll . . .' Yr oedd hwn yn curo Maher-shalal-hash-baz yr hen Hebraeg yn rhacs a thawodd Moshe. Teimlad od iawn oedd bod mewn mannau oedd a'u henwau mor gyfarwydd o ddyddiau mebyd yn yr ysgol Sul. Swreal.

Hydref 15

Gadael porthladd prysur Haifa bore a'r tymheredd ar y dec yn 92°F. Loncio rownd y dec a gwneud fy milltir foreol cyn cael hufen iâ hefo Pam a Colin. Nelson Mandela yn ennill Gwobr Heddwch Nobel. Hwylio tuag at Alecsandria. Cliff a fi yn ennill y cwis nosweithiol am bobl enwog, a hynny oherwydd ein bod yn digwydd gwybod enw howsgipar Sherlock Holmes (Misus Hudson).

Hydref 16

Colli dwy awr bore heddiw gan i'r swyddogion Eifftaidd fynnu astudio pob pasbort cyn gadael inni fynd i'r lan. Maent yn gwneud hyn bob tro y mae llong yn cyrraedd o Israel.

Sylwi ar nifer o longe rhydlyd ym mhorthladd

Alecsandria. Ychydig iawn o hen ogoniant y ddinas sydd wedi goroesi. Wedyn taith o ddau can milltir ar draws y Sahara i Gairo. Gwefreiddiol. Gorfod pinsio fy hun a dweud 'rydw i'n croesi'r Sahara' a'r tir anial yn ymledu i'r gorwelion anweledig. Nid tywod melyn lyfned â pheillied megis y swnd esmwyth ar draeth y Rhyl oedd hwn, eithr twmpathau budr gydag ambell gamel esgyrnog yn syllu'n ddryslyd o'i gwmpas, geifr moel yn lloffa ymysg ysgerbydau ceir wedi rhydu ac ambell Fedowin a mwg ei sigarét fel colofn fain yn esgyn i'r awyr lonydd. A sylweddoli fy mod wedi gweld gormod o ffilmiau'n dangos trigolion yr anialwch yn eu gwisgoedd claerwynion yn eistedd yn batriarchaidd ymhlith eu defaid a'u plant.

Roeddem wedi cael ein rhybuddio y bydde Cairo'n brofiad ysgytwol. Wedi meddwl am yr Aifft fel gwlad oludog ei hanes, ramantus ei thraddodiad, gwlad Joseff a Tutankamun, Isis ac Osiris, Carreg Roseta a'r Brodyr Bryan o Lanarmon-yn-Iâl. Sydd yn wir. Ond yr oedd nifer o ymwelwyr wedi cael eu llofruddio'n ddiweddar a chawsom ein siarsio i beidio gwneud dim byd gwirion gan ein bod, meddid wrthym, yn 'llysgenhadon dros Loegr' a bod yr Aifft wedi ochri 'hefo ni' yn ystod rhyfel Kuwait. Nid hon oedd y foment i fynd i ddadlau am y gwahaniaeth rhwng Cymry a Saeson.

Dinas annaearol o fudr. Adeiladau heb eu gorffen. Pyllau o ddŵr trychfilaidd ar y strydoedd. Ceir a bysiau a beiciau a chamelod a defaid a mulod a phlant blith draphlith ar y stryd fawr. Teimlo trueni dros yr holl fulod oedd bron ar eu pengliniau dan bwysau'r tranglins ar eu cefnau. Dyma ddinas fwyaf Affrica gyda phoblogaeth o bymtheg miliwn ac yn cynyddu'n ddyddiol. Ac yr oedd pob wan jac o'r pymtheg miliwn ar y stryd fawr heddiw yn gweiddi ar ei gilydd.

Un o afonydd enwocaf y byd yw afon Nîl. Bob amser wedi meddwl amdani fel afon yn llifo o *eau de nil* persawrus a'r moresg ar ei glannau a merched hardd tebyg i ferch Pharo ers talwm yn ymdrochi ac yn sgwrsio. Ond beth welais. Llafn o ddŵr llonydd tebyg i bys slwj a channoedd o drigolion yn byw mewn hogseidiau ar ei glan.

Ond chefais i mo fy siomi hefo'r Pyramidiau. Yr oedd y tymheredd yn 110°F a'r cwbl allwn i ei wneud yn y gwres oedd lledu fy mreichiau fel bilidowcar. A'r llanciau'n heidio o'n cwmpas yn ceisio gwerthu cardiau post a bagiau plastig a modelau o gamelod lleuog. Yr oedd y Gymraeg yn fanteisiol iawn yma. Anghofio eu bod ar 'ein hochr ni' yn y Gwlff ac erfyniais arnyn nhw yn fy Nghymraeg mwyaf clasurol 'fyned ymaith, gyfeillion annwyl, gan fynd â'ch nwyddau hyfryd gyda chi' ac ebrwydd ddiflanasant. Mae gan y plant yma grap ar nifer fawr o ieithoedd Ewrop ond roedd y Gymraeg yn gwbl anghyfarwydd ac ni allent gynnig ateb. Yr oedd yne ddyn milain yr olwg ar gefn camel du yn chwyrnellu o gwmpas yn fflangellu unrhyw un oedd wrth law. Deall mai plismon oedd o.

Yr oedd Pyramid Mawr Gisa yn anhygoel – 450 troedfedd o uchder ac yn cynnwys dwy filiwn a hanner o slabiau cerrig. Rhoddais fy llaw ar y cerrig (byddaf bob amser yn gwneud hynny) a theimlo'r hanes yn crynu o'u mewn. Y Sffincs hefyd, fel erioed, yn ddifynegiant ond yn enfawr.

Wrth deithio'n ôl i Alecsandria drwy'r gwyll gweld pebyll y Bedowin – yn union fel yr oeddynt yn nyddiau Abraham, medde fi wrthyf fy hun, ac yn eu dychmygu'n adrodd straeon am Fil ac Un o Nosweithiau Arabaidd ac yn bwyta llygaid defaid. Ond yr oedd sgwâr o oleuni ym mhob pabell. O flaen y sgwâr o oleuni eisteddai'r dynion yn gwylio gornest focsio.

Hydref 18

Wedi bod ar y môr drwy'r dydd ddoe a phawb yn dadflino

wedi diwrnod hir a phoeth yn yr Aifft, a dyma gyrraedd ynys Creta. Am dro hefo Pam a Colin i fyny i'r bryniau a chael coffi mewn pentre bychan bach, dim ond tafarn ac eglwys a chofeb i filwyr y pentre laddwyd gan yr Almaenwyr. Yr oedd yno geiliog dandi swnllyd i'w ryfeddu y tu allan i'r dafarn a chafodd hwnnw ei syfrdanu wrth glywed ceiliog arall yn ei gyfarch yn ei iaith ei hun. Fferrodd ac yna dechreuodd orymdeithio o gwmpas a'i gynffon yn chwifio a chodi untroed fygythiol. Pe bai'n gath byddai wedi codi ei wrychyn. Ni ddeallodd y Dandi mai Cliff oedd yn dynwared ceiliog arall! Mi ddaru ni chwerthin nes oedd ein senne'n sigo ac yr oedd y dynion oedd yn yfed eu cwrw y tu allan yn yr haul hefyd wedi cael andros o hwyl.

Hydref 19

Cyrraedd Katakolon ac ymweld ag Olympia. Tymheredd 92°F. Dyma lle y cynhaliwyd y Gemau Olympaidd, y rhai cynharaf yn mynd mor bell yn ôl â 776 CC. Nid oedd gan ferched hawl i wylio'r gemau – am fod y cystadleuwyr yn noethlymun, mae'n debyg. Dyna ystyr y gair *gymnasia*. Os câi merch ei dal yn gwylio câi ei lluchio o ben Mynydd Typaeon. Cafodd y gemau eu gwahardd yn y bedwaredd ganrif gan Theodosius am eu bod yn baganaidd. Y broblem bennaf yng ngolwg y Cristnogion oedd bod y cystadleuwyr yn rhedeg a neidio ac ymaflyd codwm yn noethlymun.

Hydref 20

A dyma ni ar ynys Corfu ers wyth y bore. Am dro i bentre bychan yn y bryniau ac o'r balconi mewn tafarn goffi gweld Albania filltir yn unig o bellter ar draws y dŵr. Llawer wedi nofio drosodd, medden nhw, er mwyn cael dianc o'r wlad drist honno. Er bod y môr fel gwydr heddiw, dywedir ei fod yn medru bod yn eger iawn a bod llawer o Albaniaid wedi boddi. Er ei bod yn cael ei galw'n wlad ddemocrataidd ymddengys bod yne lawer o angyfiawnder a thrais – yn arbennig yn erbyn merched. Gan fod yno brinder merched. Mae Corfu yn bert iawn, hen strydoedd a thai hynafol a golygfeydd gwych. A gweddol rad – prynais ddwy litr o London jin am £6!

Hydref 22

Wedi bod ar y môr drwy'r dydd a phrin y medrem deimlo bod y llong yn symud o gwbl. Cyrraedd Fenis mewn glaw trwm. Mae sgwâr Sant Marc yn enfawr a'r sguthanod yn bla. Siopau bach neis reit rownd a phrynu lliain bwrdd wedi'i frodio'n gelfydd iawn. Mwynhau cerdded o gwmpas y ddinas ryfeddol hon a gweld pethe nad oedd gynt namyn enwe – Pont y Gofidiau a Phont Rialto. A chael taith ar y gamlas mewn *vaporetto*. Ac wedi rhybuddio Cliff y buaswn yn ei daflu i'r gamlas pe bai'n dechre canu am brynu un *cornetto*. Mae o'n ddigon drygionus i wneud pethe felly. Ennill y cwis olaf heno a'r unig gwestiwn y methodd Cliff a fi ei ateb oedd: Pa anifail yw'r unig un sydd yn cysgu ar ei gefn? Yr ateb yw – *homo sapiens*. Ni!

Hydref 24

Ceisio dal i fyny â'r newyddion ers dod adre bore ddoe. Mae Robin Llwyd ac Eirian wedi cael merch, Erin. Mae Lowri Hafod y Maidd a Gethin Clwyd wedi cael mab, Llyr, ac mae Mari a Robat Arwyn wedi cael merch, Elan Iâl, ac mae Jo Grimond wedi marw yn 80 oed.

Tachwedd 9

Y pethe rhyfedd sydd yna i'w darganfod am eich teulu. Siarad â WI Melin-y-wig heno ac Elena (Hughes y Gro) yn dweud bod coes bren Anti Magi Wynne ganddi! Dyma atgofion yn llifo a chofio mynd i weld yr hen wreigan yn y Gro. Yr oedd yn gyfyrderes i Nain ac yn gwneud dillad iddi.

Yn saith oed cafodd Magi ddamwain hefo pwlpar maip a chollodd ei choes. Tybiwyd na fyddai ar neb eisiau priodi merch hefo un goes ac anfonwyd hi i Lerpwl i ddysgu crefft, a daeth yn deiliwr a gwniadwraig arbennig o alluog. Byddai'n gorffen pob brawddeg gyda'r gair 'woch' a byddem eisio chwerthin. Ni wyddwn ar y pryd mai 'wyddoch chi' oedd 'woch'.

Tachwedd 13

Lesley a Ben adre. Mae'r bychan yn siarad fel hen gant ac wedi dysgu gair newydd gan rywun. Yn sydyn, o flaen llond tŷ o bobl ddieithr, dyma fo'n dweud, 'Mummy's going to have a bloody bath in a minute.' A'r munud nesaf, pan oedd pawb yn ymdrechu i beidio chwerthin, medde fo 'Listen to that bloody bird . . .' Be wnewch chi hefo bechgyn bach?

Tachwedd 22

Yng nghapel y Bedyddwyr, Llansannan, heddiw yn angladd Bill Wynne-Woodhouse. Yr oedd ei wreiddiau yn swydd Efrog a bu'n gweithio gyda mapwyr Ordnans Survey yn Llundain a threulio pob munud sbâr yn yr Amgueddfa Brydeinig a Somerset House yn amsugno gwybodaeth fel llynclyn. Un tro aeth â chriw o bobl ifanc ar daith i Rwsia ac ar yr un pryd yr oedd yna ffermwyr ifanc o Ddyffryn Clwyd yno ar ymweliad. A dyna pryd y gwelodd o Eirlys Wynne o Lansannan. A dyna sut y mabwysiadodd Bill Gymru ac y mabwysiadodd Gymru Bill. Ac ychwanegu Wynne at yr Woodhouse. Roedd yn cael ei gydnabod fel y prif arbenigwr ar hanes ac achau teuluoedd Llansannan. Ac wedi iddo gael ei benodi yn Geidwad Llyn Brenig daeth yn awdurdod ar hanes ac archaeoleg Mynydd Hiraethog. Yr oedd hefyd yn un o sefydlwyr Cymdeithas Hanes Teuluoedd Clwyd. Dyna sut y deuthum i ar ei draws. Dyn arbennig iawn. Meddai'r Parch Peter Davies, 'Sais diwylliedig, dyn mawr, meddwl mawr a chalon fawr.'

Tachwedd 24
Yn achos llofruddiaeth James Bulger, cafwyd Robert Thompson a Jon Venables, ill dau yn ddeg oed, yn euog o'i lofruddio. Carchar am oes iddyn nhw. Ydynt, maent yn fechgyn drwg iawn ond siawns nad oes gwell ffordd o ddelio hefo plant drwg na'u hanfon i brifysgol drwgweithredwyr.

Tachwedd 26
Un o olygyddion y *Western Mail* yn ffonio, eisiau gwybod ystyr y gair 'cynhysgaeth' yn fy ngholofn. Ydi o'n air iawn? meddai, gan nad yw yn y geiriadur, meddai wedyn. A dyma ddyfynnu'r geiriau sydd ar gofgolofn Tom Ellis ar Stryd Fawr y Bala: 'Amser dyn yw ei gynhysgaeth a gwae a'i gwario yn ofer.'

Tachwedd 30
Cafwyd cyllideb ym mis Tachwedd am y tro cyntaf ac y mae petrol i fyny 14c y galwyn. Ac o 2020 ymlaen bydd merched yn gorfod aros tan fyddant yn 65 oed i gael pensiwn. Penderfynwyd ar y ddau oed – 60 a 65 – rywbryd yn nauddegau'r ganrif pan fynnodd rhyw AS bod rhaid i ferched ymddeol yn gynt am y rheswm bod merched ar y cyfan ychydig yn iau na'u gwŷr. Ac os oedd dynion yn ymddeol yn 65 ac yn gorfod bod adre ar eu pennau eu hunain nes bod eu gwragedd yn 65, cwestiwn yr AS oedd, 'Pwy fyddai yno i wneud eu cinio?' Hoffwn fedru cofio enw'r AS gwirion hwnnw.

Rhagfyr 4
George Frederick Pearce o ardal Southampton ar y ffôn hefo fi. Mae o'n ŵyr i Fred y ffermwr o Woodfield Farm, Shirley, Southampton. Mae hi'n stori ddifyr. Pan oedd f'ewythr Robert, brawd fy nain, yn cael ei hyfforddiant yn yr ardal cyn cael ei anfon i Ffrainc yn 1917, fe fu'n helpu ar Woodfield

Farm yn y cynhaeaf, ef a'i gyfaill Ted Owen o'r Groesffordd ger y Rhyl. Roedd y ddau wrth eu bodd yn cael y cyfle i wneud rhywbeth gwahanol a Ted, meddai f'ewythr, 'fel chwaden wedi gweld dŵr yn y cae gwair'.

Lladdwyd Robert o fewn wythnos i gyrraedd Ffrainc a daeth Edward Owen yn ôl yn fyw, ac am gyfnod bu'n gwerthu llaeth yn Holloway yn Llunden cyn ymuno â dau gefnder o sir Aberteifi i redeg y Red Bus Company. Yn y man prynodd un o'r cefndryd gyfranddaliadau'r ddau arall a gwnaeth ei ffortiwn. Ei enw oedd David James o Bantyfedwen. Daeth Ted yn ôl i Gymru a bu'n ffermio Gwernigron yn Llanelwy; bu'n ddyn cyhoeddus a gweithgar gan fyw i fod dros ei gant oed.

Ar gyfer sgwennu erthygl i Gofnodion Hanes Sir Feirionnydd yn seiliedig ar lythyrau f'ewythr Robert, dyma gael chwiw yn fy mhen i geisio darganfod rhywbeth am deulu Woodfield Farm ac anfon llythyr yno. Ond daeth yn ei ôl wedi'i farcio yn *Unknown*. Wedyn, dyma anfon pwt i'r *Southern Evening Echo* i holi. Ffrwyth yr ymholiad oedd galwad George F Pearce a hefyd alwad gan ryw Mr Humby yn dweud bod y fferm wedi cael ei gwerthu i ddatblygwyr ac mai dim ond postyn giât sydd ar ôl ohoni.

Rhagfyr 14

Mae Helen yn nain! Ganwyd Lewis John, saith pwys a hanner, heddiw. Ni wirionir yn llwyr nes gweled yr ŵyr. Helen yn swnio'n dwlali ulw'n barod.

Rhagfyr 30

Diwedd blwyddyn arall brysur. Un o'r pethe mwyaf diddorol fu sgwennu colofn fisol i'r *Bedol* yn olrhain hanes y gwahanol bentrefi yng ngoleuni Cyfrifiad 1881 ac 1891 a dod ar draws hanesyn difyr am y gwahanol drigolion. Fel hwnnw am John Hughes, Pencoed, Pwllglas, oedd yn tueddu i fod yn anghofus. Fel y diwrnod hwnnw pan oedd yn aros am y tren ar orsaf Nantclwyd ac yn rhoi chwe cheiniog i'w wraig a chusan i'r porter.

1994

Mentro i'r Caribî

Ionawr 5

Mae hi'n dywydd mawr mewn mannau – de Lloegr yn arbennig. Syr Roy Dearing yn cyhoeddi adroddiad ar y Cwricwlwm Cenedlaethol ac yn ei dorri i lawr dipyn, gan gynnwys dileu Cymraeg fel ail iaith i rai 14-16 oed. Wn i ddim pam heblaw bod yna brinder affwysol o athrawon i ddysgu'r iaith. Mae gweithio yn y cyfryngau yn llawer mwy glam. Mae dysgu Cymraeg mewn ysgolion ar y ffin yn anodd iawn.

Ionawr 20

Neithiwr bu farw Anti Marian yn 85 oed. Magwyd hi ym Mhenffordd-ddu, Llanelidan, ac roedd yn chwaer i Clwyd oedd wedi priodi Elinor Dwyryd. Eu mam yn gyfnither i fy nain Gwrych Bedw, a'r ddwy yn wyresau i Hen Ddewin Llwyn y Brain. O! na bawn wedi holi mwy ar fy nain amdano fo. Tipyn o hen bagan oedd o.

Stori am y mwrddrwg Ben. Wedi treulio'r Nadolig yng nghartref Chris, ffrind Lesley yn Jersey. Roedd yno dipyn o lanast a llwch gan fod gwaith adeiladu yn mynd ymlaen a dyma Ben yn rhedeg ei fys ar hyd y seidbord a gofyn, 'Anti Chris – has your cleaning lady died?'

Ionawr 21

Angladd Marie, chwaer ieuengaf Cliff a'r gwasanaeth yn eglwys Sant Deiniol, Penarlâg. Y ficer yn lletchwith ac yn rhoi enwe anghywir ar ei gŵr a'i brodyr a'i chwiorydd! Fedraf i ddim dioddef pobl ddi-lun. Cawsom fwyd ardderchog wedyn, wedi'i baratoi gan adran gwyddor tŷ

Ysgol Castell Alun lle mae Sarah, merch Marie, yn athrawes Cemeg. Cafodd lesgedd go arw hefo canser y fron a'r tro olaf inni ei gweld oedd dridie yn ôl a hithe mewn coma ac ar forffin trwm. Ond pan ddywedodd Sarah fod Cliff wrth ei gwely fe wenodd. Cawsom lawer o hwyl hefo hi – un ddireidus oedd hi a babi'r teulu – yr ieuengaf o wyth. Un dda am ennill cystadlaethe a'r wobr fwyaf cyffrous a gafodd oedd taith ar Concorde i Efrog Newydd ac yn ôl mewn diwrnod. Yn anffodus, aeth hi a Reg yn sâl oherwydd gormod o fwyd moethus (samon mwg a chafiâr a siampên yn llifo) ac nid ydynt wedi arfer hefo pethe felly. Ond cawsant eu lluniau yn y *Daily Express*!

Chwefror 7

Stephen Milligan AS wedi cael ei ddarganfod yn farw yn ei gegin yn gwisgo dim byd ond sanau merched a sysbendars a bag plastig am ei ben. Chwarae wedi troi'n chwerw, meddir. Chwarae rhyfedd ar y naw. Mae pawb yn gegagored wrth glywed manylion y dull hwn o ymblesera, sef yr hyn a elwir yn fygu erotig. Dyn galluog oedd yn cydoesi yn Rhydychen hefo Edwina Currie, John Redwood a Bill Clinton. Oes rhywbeth yn y dŵr yng Ngholeg Magdalen?!

Peth arall sydd wedi peri i adolygwyr Lloegr fod yn gegagored yw bod y ffilm *Hedd Wyn* wedi cael ei henwebu am Oscar yn y categori ffilm mewn iaith estron. Wel hei lwc.

Chwefror 8

Wedi bod yn meddwl am David Rowe-Beddoe ac nid oes llawer yn medru dweud hynny. Cafodd ei benodi'n gadeirydd i Fwrdd Datblygu Cymru i olynu Gwyn Jones, llencyn llygatlas Maggie. Ymateb y wasg oedd, Rowe-Beddoe – pwy andros ydy hwnnw. Yntau'n mynnu bod ganddo gymwysterau addas, yn Gymro i'r carn am fod ei fam yn aelod o'r Orsedd. O! popeth yn iawn felly. Ond mae o'n byw ym Monaco ac yn Dori rhonc. Ond fe ganodd cloch yn fy mhen i. Ble clywais i'r enw o'r blaen?

A dyma fi'n cofio darllen hanes claddu gŵr amlwg yng Nghaerdydd fis Rhagfyr 1951, sef Evan Hughes, yr un enw â'm hen hen daid, ac yn ôl fy niweddar hen fodryb Gwenfron Moss yr oedd y ddau Evan Hughes yn perthyn rywsut. Ganwyd Evan Hughes, Caerdydd, yn Mhlas Llwydiarth, sir Drefaldwyn yn 1882. Ganwyd yr Evan Hughes arall yn 1827 yn y Gelli Isa, Rhyducha ger y Bala. Beth bynnag, mi aeth Evan Hughes, Llwydiarth, i'r brifysgol yn Aberystwyth ac i Goleg Gonville a Caius, Caer-grawnt a rhwng 1941 ac 1947 ef oedd prif Swyddog Cymru i'r Swyddfa Hysbysrwydd Ganolog a bu ganddo ran allweddol yn rhaglen bropaganda'r Cynilion Cenedlaethol yn ystod y rhyfel ac ef hefyd a drefnodd Sioe Arglwydd Faer Llundain 1938.

Derbyniodd Fedal Haakon VII, brenin Norwy, yn 1950. Ail wraig Evan Hughes oedd Madam Dolan Evans, cantores, arweinydd côr merched adnabyddus ac yn aelod o'r Orsedd a mab iddi o'i phriodas gyntaf yw David Rowe-Beddoe! Fe welir ei enw fel un o'r galarwyr yn angladd Evan Hughes yn 1951. Mae cysgodion hel achau yn taflu ymhell.

Chwefror 18

Mae rhywun wedi dwyn llun *Y Sgrech* o oriel Oslo. Edvard Munch yw'r artist ac mae'r llun brawychus yn dangos wyneb mewn gwewyr a cheg gron yn llydan agored – darlun o wae ac anobaith, darlun o berson yn syllu i bwll uffern ac adfyd di-ben-draw.

Chwefror 12

Bu farw'r hen Bontshân. Neu Eirwyn Jones a rhoi iddo'i enw iawn. Un o gymeriade ymylol yr Eisteddfod a chanddo hiwmor gwahanol a myrddiwn o englynion ar ei gof. Roedd ganddo ddilynwyr selog, sef Undeb y Tancwyr, oedd yn chwerthin ar bopeth ddywedai. Ac mae Sulwyn Thomas wedi cerdded drwy'r twnnel o Folkstone i Calais – y Cymro Cymraeg cyntaf i wneud hynny.

Mawrth 1

Cyfarfod byrlymus yng Nghanolfan Iaith Dinbych i lansio Cynllun Estyniad ac yr oedd naw cant o ddysgwyr yno! Yn eu mysg yr oedd Charles Quant, sydd yn sgwennu i'r *Daily Post.* Dylan Iorwerth yn gofyn i mi a wyddwn rywbeth am gysylltiad Shirley Hughes, y nofelydd, hefo'n teulu ni. Mi wyddwn mai merch yw hi i T. J. Hughes sydd â siopau o'r enw yn Lerpwl a Wrecsam. Ac yr oedd T. J. Hughes yn fab i James Hughes o Gefn Post, Llanfihangel Glyn Myfyr, oedd yn frawd i hen daid Dylan. Syrthiodd T. J. Hughes i'r môr o long bleser, gan adael gweddw a thair merch fach. Un arall syrthiodd i'r môr oedd Robert Maxwell wrth gwrs – dyn drwg a wnaeth ambell beth da – ond tybiaf mai ei lofruddio gafodd o.

Heblaw am hynny bu'n Ŵyl Dewi digon od. Cychwynnodd pethe ar y teledu bore gyda rhyw wàg o'r enw Ross King yn gwneud hwyl am ben ein hiaith. Yr oedd y Tywysog yng Nghaerdydd ac fe wisgodd Carol Vorderman siaced felen ar *Countdown* a dymuno gŵyl hapus i bawb. A Harold Carter ar raglen Vincent Kane yn brifo teimladau'r brawd hwnnw drwy ddweud nad yw'n bosibl bod yn Gymro cyflawn heb siarad yr iaith.

Mawrth 4

Rhyw foi o Gaerlŷr yn y ddalfa ac yn cyfaddef ei fod wedi llofruddio o leiaf un ar ddeg a'u claddu yn ei ardd ac yn y seler yn 25, Cromwell Road. Merched ifanc a fu ar goll ers blynyddoedd. Gan gynnwys ei ferch ei hun. Fred West yw ei enw ac mae'n edrych fel person diafolaidd. Wyneb fel meipen a dannedd cribyn.

Mawrth 11

Gwylio'r rhaglen *Ffau'r Llewod* a'r cyfrwys Vaughan Hughes yn llywio trafodaeth ar bwnc llosg ordeinio merched i'r eglwys. Fory mae Eglwys Loegr yn mynd i wneud hyn mewn gwasanaeth ym Mryste ac ymhen pythefnos bydd yr Eglwys yng Nghymru yn pleidleisio. Mae'r esgobion o blaid ond mae yna griw bach o ddynion sydd yn byw yn oes yr arth a'r blaidd. Yn arbennig rhyw barchedig ŵr o'r enw John R. Jenkins, ac ef oedd y Daniel ar y rhaglen yn wynebu'r llewod. Llewod llywaeth dros ben. Pwsi cats yn wir. Er nad yw hyn yn effeithio arna i'n bersonol gan fy mod yn hollol ddi-grefydd, mi fyddwn yn gofidio pe bai'r Eglwys yn gwrthod ordeinio merched, a hynny am ddau reswm. Yn gyntaf, o ran y merched eu hunain: y rhai sydd yn teimlo eu bod eisiau gwneud y gwaith ac yn barod amdano. Dylent gael yr hawl os dyna eu dymuniad. Byddent yn gwasanaethu ag arddeliad. Ac yn ail, drwy wrthod byddai hynny'n agor y drws i *refusniks* Lloegr. Gallaf ddychmygu heidiau hunanfodlon o hil John Selwyn Gummer yn carlamu dros Glawdd Offa ac yn cusanu godre casog John R. Jenkins a'i debyg, datgysylltiedig neu beidio. Yr unig beth datgysylltiedig ar hyn o bryd yw'r hyn sydd rhwng JRJ a'i ymennydd. A beth yw ei reswm? Oherwydd mai deuddeg gwryw a ddewiswyd gan Grist yn ddisgyblion iddo. Ie, deuddeg Iddew. Dim Sais na Chymro yn eu plith. Un gwadwr, un amheuwr ac un bradwr. Nid oeddynt yn bwyta cig moch na chregyn gleision na chwningen, a chredent mai pechod oedd achos pob afiechyd; enwaedent, ac nid oeddynt yn gweithio ar y Sadwrn. Amlwreicient. Mae yna ddwy fil o flynyddoedd ers hynny! Mae pethe wedi newid! Esgus arall yw dweud bod merched yn rhy emosiynol i fod yn offeiriaid. Wrth reswm, nid yw dynion byth yn emosiynol: byth yn ymladd na cholli tymer. A dene fi wedi gorfod cael dwy dudalen i fwrw fy mol heddiw.

Mawrth 21

Ddaru *Hedd Wyn* ddim ennill yr Oscar yn Hollywood heno ond cafodd ganmoliaeth mawr a chryn sylw. Anthony Hopkins oedd yn llywio'r darn hwnnw o'r seremoni ac mi wnaeth rywbeth rhyfedd iawn. 'Ac yn awr,' meddai, 'a film from my country – South Wales.' Ydi o'n meddwl bod de Cymru yn wlad ar wahân. Ac o ble mae o'n meddwl yr oedd Hedd Wyn yn dod?

Ebrill 22

Mae Richard Nixon, cyn-Arlywydd UDA, wedi marw yn 81 oed. Cafodd ei alw yn Tricky Dickie ac un o gwestiynau mawr yr oes oedd – A fuasech chi'n barod i brynu car ail-law ganddo? Cafodd ei ddiswyddo yn 1974 oherwydd helynt Watergate. Yr oedd yn gymeriad amryliw: ar un llaw yn Grynwr oedd yn ymwrthod â'r ddiod ac ysgaru, ond ar y llaw arall yn barod i ymddwyn yn dwyllodrus mewn gwleidyddiaeth.

Ebrill 27

Ar ddiwrnod cyntaf yr etholiad hanesyddol yn Ne Affrica ac apartheid yn dod i ben, hen wreigan 102 oed gipiodd fy nychymyg i. Fe gerddodd hanner milltir yn fusgrell ar bwys ei ffon i bleidleisio am y tro cyntaf erioed. Yn gant a dwy cafodd weld y dyfodol. Ganwyd hi yn 1892, ryw ddeg mlynedd cyn yr ymfudodd Jane, chwaer fy nhaid, i fyw yn Cape Town. Cafodd fy hen fodryb fywyd braf gyda fflyd o weision a morynion, plas o dŷ yng nghanol cymdogion cefnog, gwyn. Cafodd disgynyddion Jane addysg prifysgol (er bod rhaid ychwanegu nad oedd bywyd yn fêl i gyd iddi oherwydd lladdwyd ei mab yn y Rhyfel Mawr). Bywyd gwahanol iawn gafodd yr hen wreigan, heb hawliau na chartref nac addysg. Pan anwyd hi yr oedd yna ddau gan mlynedd o anghyfiawnder y tu ôl iddi. Ond wele dudalen newydd yn agor. Ni ddaw apartheid yn ôl, er bod llawer yn dal i gredu ynddo.

Drwy'r byd mae pobl wedi gorfod ymladd am yr hawl i gael y bleidlais ac yn arbennig am bleidlais ddirgel. Bu llawer o erlid a dial ac mae cof y werin yng Nghymru am Etholiad 1869 yn dal yn fyw. Collodd nifer eu ffermydd ym Meirion am feiddio pleidleisio yn erbyn dymuniad eu meistri tir. Yn eu plith yr oedd John Davies, Ty'n Llwyn, Llanfor; John Jones, Maesgadfa, Llanfor; Peter Jones, y Goat, y Bala; John Roberts, Ty Isa, Llanfor; Ellis Roberts, Fron-goch a John Jones, Nant Hir, a'm hen hen hen daid innau, Dafydd Williams, Coed y Mynach. Yn nes ymlaen bu rhaid i'r *suffragettes* dorri'r gyfraith a strancio a chael eu herlid a'u trin yn annynol. A chofiaf, pan aeth y Cymry i'r Wladfa yn 1865, i'r merched gael cyfartaledd llwyr yn syth. 'Gwawriodd dydd ein breuddwydion', meddai Nelson Mandela, yr arweinydd gwylaidd urddasol. Ac mae gwaith anodd iawn o'i flaen. Mae ei bobl eisiau addysg a thai a dŵr a gwaith ac yn meddwl bod Mandela yn mynd i wneud gwyrthiau dros nos.

Anodd deall pam mae gwleidyddion ac awdurdodau o bob math bob amser yn erbyn unrhyw newid ac yn erbyn estyn hawliau i bobl: brwydr ddiddiwedd am gael hawliau i ferched, i bobl dduon, i'r anabl, i'r iaith Gymraeg.

Mai 7

Ym Mhlas Tan y Bwlch heddiw yn siaradwr gwadd yng Nghyfarfod Blynyddol Cymdeithas Hanes Teuluoedd Gwynedd. Siarad yn Saesneg ar y testun 'Hurrah for Henry', sef diolch i Harri VIII am fynnu bod pob priodas a bedydd a marwolaeth yn cael eu cofrestru yn yr eglwys leol. Er mai anfoddog iawn oedd ei ddeiliaid hefyd gan eu bod yn meddwl mai dyfais i'w gorfodi i dalu trethi oedd hyn. Eistedd amser cinio yn ochr rhyw Sais o Warwick, a ddywedodd wrthyf 'I'll probably have a sleep this afternoon during the lecture.' Nid oedd yn gwybod mai fi oedd y siaradwr!

Mai 12

Torrodd y newyddion fod John Smith, arweinydd y Blaid Lafur, wedi marw 9:15 bore heddiw wedi trawiad enfawr ar y galon. 55 oed. Ergyd ofnadwy iddyn nhw. Dyn poblogaidd ac acen Caeredin ganddo.

Mai 19

Mae Jackie Onassis wedi marw o ganser yn 64 oed. Anodd credu bod un oedd yn ymddangos mor fythol ifanc wedi mynd. Ac anodd dychmygu hefyd pam y priododd un mor ddiolwg ag Aristotle Onassis. Oedd, yr oedd ganddo bres di-ben-draw ond nid oedd y Kennedys yn dlawd chwaith! Ac wrth ochr JFK yn Arlington y cleddir hi.

Mai 20

Geraint Owain yn dweud bod f'erthygl yn y *Western Mail* ar 'Mater fy Alma Mater' wedi cael ei dyblygu a'i hanfon at bob Cynghorydd Sir yng Ngwynedd. Geraint ydy prifathro Ysgol y Berwyn, y Bala, sydd dan fygythiad o orfod colli ei chweched dosbarth ac anfon asgwrn cefn yr ysgol i Goleg Trydyddol Gwynedd, a gorfod teithio i Ddolgellau a Dwyfor. Mor annheg â nhw. Hyd yn oed os ydych yn byw ar ochr Dolgellau o'r Bala – yn Llanuwch-llyn neu Ryd-y-main dyweder – mae hi'n daith hir ar hyd ffordd droellog beryglus dros y Garnedd Wen. Ond os ydych yn byw ym Melin-y-wig neu Lanrafon neu Langwm mae'r daith y tu hwnt i bob rheswm. Rhagwelaf y bydd plant Betws Gwerfyl Goch a Chynwyd a Gwyddelwern yn troi eu cefn ar y Bala ac yn dod yma i Ysgol Brynhyfryd, sydd â chweched dosbarth hyfyw a niferus. Crebachu wna'r Bala yn ddi-os.

Yn fy nyddiau i, y brifathrawes oedd Dorothy Jones.

Cymeriad cadarn, unbennaidd, brawychus, diwrthdro, gwrywaidd. Gwallt wedi'i dorri fel mynach a rhyw fymryn o lyfiad buwch ynddo, siwt frethyn drom, sgidie sensibl ac awgrym o fwstásh. Traed chwarter i dri. Tawelai adar yn sŵn ei throed. Ond ni allaf ddychmygu neb yn ceisio mynd â'i disgyblion oddi arni. Byddai cynghorwyr Gwynedd yn mynd i guddio dan y bwrdd. Byddem ni, friwsion y llawr, yn edmygu'r merched hynaf. Roeddynt i'w hefelychu, a cholled fawr i unrhyw ysgol yw colli hufen fel yna. Yr oedd yna un ferch arbennig yn y Chweched yr adeg honno o'r enw Carys. Carys benfelen, lygatlas, lawn asbri, pencampwraig ar y cwrt tennis. Heddiw mae hi'n wraig i Gwilym Humphreys, Cyfarwyddwr Addysg Gwynedd. Eironi mawr!

Mehefin 20

Ar y rhaglen *Taro Naw* heno – pwnc yr Arwisgiad. Roeddwn wedi recordio darn yn y Castell yn sefyll o flaen llun mawr hardd o Mrs Cornwallis West. Ond torrwyd fy nghyfraniad i lawr ac nid oedd unrhyw eglurhad pam fy mod yn sefyll yn y fath le. Ac roedd gan y cynhyrchydd wy ar ei wyneb heno oherwydd roeddwn wedi sefyll mewn lle hynod o addas a sôn am Edward VII yn cael *affair* hefo hi, a heno ar y teledu fe gyfaddefodd y Tywysog Charles ei fod wedi godinebu!

Gorffennaf 17

Gêm derfynol Cwpan y Byd ac yr oedd yn ddi-sgôr rhwng yr Eidal a Brasil, ac felly bu rhaid cael yr hyn a elwir yn *shoot out* – ffordd atgas o ennill a Brasil aeth â hi. Ond dyma'r unig ran o gêm bel-droed rwyf yn ei fwynhau! Pledren mochyn oedd gennym ni erstalwm i'w chicio o gwmpas. Gan fod Cliff a Shôn Dwyryd yn gwylio pob gêm, fedrwn i ddim peidio â gweld pytie yma ac acw. Eiliade cofiadwy. Gêm dda oedd honno pan faglodd Mexican Pete ar draws y gôl. Anelodd Bwlgar powld y bledren mochyn i gornel y gôl ac wrth geisio achub ei gam, fe dynnodd y Mecsicanwr y cwbl lot am ei ben. Yr oedd yn edrych yn union yr un fath â'r broch mewn cod hwnnw yn y Mabinogi. Coronwyd y cyfan gan dîm o Americaniaid yn cludo gôl newydd sbon ar gagal drot. Gêm arall dda oedd honno pan gerddodd Maradona o'r maes law yn llaw â'r nyrs. Roedd o'n gwenu ar bawb ac yn meddwl ei fod yn mynd i gael paned o de neu rywbeth y tu ôl i'r llwyfan – jyst y fo a'r nyrs fach ddel. Doedd o ddim yn gwybod bod y nyrs yn mynd i ofyn iddo fo wneud pi-pi mewn potel ac yna ei fod yn gorfod pacio'i fag a mynd adre i'r Ariannin nerth ei draed. Mae'n rhaid ei fod wedi chwarae gêm dda oherwydd yn hytrach na chwarae'r diawl hefo fo a'i daflu i garchar dros ei ben, beth wnaeth yr Archentwyr ond rhoi swydd iddo, sef sylwebu ar weddill y gemau nes oedd un tim wedi ennill a phawb wedi mynd adre.

Roedd amryw o'r reffarîs yn cael gemau da hefyd ac roedd un wedi gwneud gwaith mor ardderchog fel y cafodd fynd adre'n gynnar. 'Ewch i'r Swistir!' ebe'r awdurdode wrtho. Lwc mai yn fanno roedd o'n byw. Yr oedd llawer o'r reffarîs eraill yn eiddigeddus, mae'n rhaid, oherwydd gwnaethant eu gore glas i gael eu hanfon i'r Swistir yn gynnar hefyd. Ond y gêm orau o ddigon oedd honno pan oedd y Saeson eisiau bod yn Wyddelod. Wedi canrifoedd o drais a sarhad, yn sydyn, dros nos, mae Iwerddon yn rhan o Brydain Fawr ac yn lle grêt. Yn un o'n timau ni. A Sais yn eu hyfforddi – Our Jack. Rai dyddie'n ddiweddarach gwelwyd enghraifft bathetig o jingoistiaeth y Saeson mewn llythyr i'r wasg yn dweud mai acenion gwahanol ranbarthau Lloegr oedd gan chwaraewyr Iwerddon ac felly gellid dweud bod Lloegr YN chwarae yng Nghwpan y Byd wedi'r cyfan. Mae'n rhaid mai dyna pam y gelwir eu gwlad yn Ing Land.

Awst 1

Eisteddfod unwaith eto. Yng Nglyn Nedd. Aros yn

Rhiwbeina hefo Rees a Mary. Glaw mawr heddiw. Gerwyn Wiliams yn ennill y Goron, a Chôr Rhuthun yn dod yn ail. Synnu at yr ymateb llywaeth a gafwyd yn y wasg ac ati i ddatganiad chwyldroadol o du'r Orsedd. Wedi dau gan mlynedd o ddeddf y Mediaid a'r Persiaid, mae yna newid. O hyn ymlaen nid oes rhaid i'r Archdderwydd gael ei ddewis o blith y rhai enillodd y Gadair neu'r Goron! Gorfoledded daear lawr. Agor y drws i enillwyr Gwobr Llwyd o'r Bryn (o leiaf mae'r rheiny yn medru llefaru), y Fedal Ryddiaith, Dysgwr y Flwyddyn a Chadeiryddion Pwyllgorau Gwaith. O ie! a merched. Gawn ni weld Archdderwen braff ymysg y brigau? Mae'r Orsedd wedi bod yn goblyn o gyndyn i gydnabod bod merched yn bod. Iawn i smwddio'r gwisgoedd ac i wneud paned yn y te. I fod yn Archdderwydd mae angen presenoldeb, llais clir a llefaru croyw. Gwybod sut i drafod cynulleidfa a chadw trefn ar y sgript. Mae merched wedi hen arfer â gwneud y pethe hyn i gyd.

Medrai Siân Phillips gyfarch y genedl o'r Maen Llog gystal ag unrhyw Fuddug. Neu Rahel o'r Allt, fedrai dawelu unrhyw blentyn anystywallt, a Caryl Parry Jones – er y byddem yn ofni iddi gael ei themtio i ddynwared Glenys neu gyfarch y Bardd Buddugol fel Smâi Wa! Y mae ar Archdderwydd angen enw urddasol, megis Hwfa Môn neu Gynan. Beth am Angharad Tomos? Yn anffodus, ei henw yn yr Orsedd yw Rwdlan. Ddim cweit yn taro. A byddai ar goll heb fegaffon. Gyda llaw, mae gen i Wisg Wen . . .

Awst 2

Glaw trwm. Ar y Maes tan yn hwyr heno gan fy mod ar raglen fyw *Dim ond Celf* hefo Emyr Price a Dylan Iorwerth yn trafod y wasg. Eirug Wyn wedi ennill gwobr Daniel Owen. Yr oedd yn dywyll pan aethom i'r Maes parcio ac aeth Cliff ati i helpu rhyw gar oedd yn troi yn ei unfan yn y mwd. Yn sydyn, i ffwrdd â fo hefo Whwwsh! A gadael Cliff yn fwd o'i ben i'w draed. Trio peidio chwerthin. Aeth y dillad i gyd i beiriant golchi Mary.

Awst 3
Robin Llywelyn yn cael y Fedal Ryddiaith. Cyw o frid. Clough Williams-Ellis o hil Richard Clough oedd ei daid, a'i nain yn un o'r Stracheys peniog o'r Bloomsbury Group. Aeth Rees â ni am dro drwy gwm Rhondda – nid oeddwn erioed wedi bod yn y parthau hyn. Dros y Rhigos ac at stad Penrhys. Anhygoel o le. Arwyddion tlodi mawr. Chwarae teg i Rees, mae o'n llawn gwybodaeth ac yn awyddus inni gael gweld rhai o ryfeddodau'r brifddinas, fel y capel gwyn Norwyaidd lle bedyddiwyd Roald Dahl. Cyfle hefyd i weld tai crand Windsor Parade lle roedd fy hen ewythr Thomas Davies yn byw yn rhif 6 pan oedd yn weinidog yn y dociau.

Awst 4
Ymson 'Gair am Air' yn y Babell Lên – Harri Parri yn y gadair a fi'n beirniadu. Tegwyn Jones, Ifor Rees a Mallt Anderson yn nhîm y De a Mair Penri, Meg Elis ac Emyr Jones yn y Gogledd. Gofyn am ddiarhebion newydd a chafwyd ambell un reit dda, megis 'Brawd Wormwood yw Redwood.' Am dro heno i weld capel newydd Bethel yn Stryd Pomeroy yn y dociau ac yno mae un o gadeiriau barddol fy hen ewythr Thomas Davies a phlac pres ar y wal. Mae'r capel a roddodd iddo'i enw barddol, Bethel y Bedyddwyr Saesneg yn Sgwâr Mount Stewart, wedi mynd â'i ben iddo. Gwerthwyd organ goffa Thomas Davies oedd yn y Bethel gwreiddiol er mwyn pwrcasu'r adeilad newydd hwn fis Medi 1955. Aeth gwraig garedig â ni o gwmpas y capel newydd a dweud mai Thomas Davies a'i bedyddiodd hi. Ni wyddai mai cadair farddol oedd yr un yn y Sêt Fawr ac roedd yn methu'n lân â deall pam roedd ymwelydd o ogledd Cymru'n dangos y fath ddiddordeb mewn hen bregethwr a

fu farw dros ddeng mlynedd a thrigain yn ôl. Dywedais wrthi mai fy niddordeb oedd ei fod yn hanner brawd i fy hen daid.

Awst 5

Emyr Lewis yn cael y Gadair. Cofio'i dad, Kynrick, yn Llundain. Mae colofnau W. J. Edwards a fi ar gyfer y *Western Mail* wedi mynd ar goll. Clive Betts yn neidio i fyny ac i lawr.

Awst 6

Y Maes yn braf a sych. Ond rhy hwyr. Ambell beth digon rhyfedd wedi digwydd. Mae sôn am gael meini o wydr ffeibr i'r Orsedd. Codwch eich maen a cherddwch. Ac mae yna egin ffrae. Enwebwyd Sion Aubrey Roberts ar gyfer ei anrhydeddu. Gwrthodwyd ef. Nid oes neb hyd yn hyn wedi dweud pam y dylai Sion gael ei wneud yn aelod. Nid wyf yn nabod y llanc. Efallai ei fod yn hen gariad bach. Ac ni ddylid gwahardd neb oherwydd eu bod wedi bod yn y carchar. Ond beth yw ei gyfraniad i'w genedl? Heb gyfansoddi dim byd, ddim wedi gwneud cyfraniad diwylliannol, heb ennill am ganu na llefaru, ddim wedi llosgi tŷ haf na gosod bom yn unlle, medden nhw. Beth mae o wedi'i wneud?

Medi 10

Gwawriodd y Diwrnod Mawr. Aduniad Deugain Mlynedd – y criw groesodd riniog y Coleg Normal fis Medi 1954. Wel, mi wnes i fwynhau! Roedd y Fenai wedi cael ei sgleinio'n arbennig ar ein cyfer a dail y coed yn Siliwen yn ein hatgoffa bod drws ein hydref ninnau'n agored led y pen.

Pa eiriau ddaw i'r meddwl wrth geisio costrelu diwrnod bythgofiadwy: syndod a sŵn a sgrech, chwerthin a llunie babis ac roedd yna nifer helaeth o neiniau wedi gwirioni'n llwyr ac yn llardio llond bag o lunie i'w dangos i bawb. Un siom oedd mai dim ond pymtheg o'r bechgyn ddaeth – pymtheg allan o drigain. Ac roedd pedwar ohonyn nhw o'r

Rhos – un Hannaby, un Dodd, un Gareth Cochyn ac un Selwyn Williams. Gŵyr pawb fod athrawon yn tyfu ar y coed yn y Rhos. Gan Selwyn yr oedd y plentyn ieuengaf o bawb – merch saith oed. Yr oedd Gwyn Pierce Owen yn hapus am nad oedd tîm Dinas Bangor wedi colli y pnawn hwnnw ac roedd Wil P yn hanner hapus oherwydd ei fod newydd ymddeol, wedi bod yn dysgu plant ag anghenion arbennig am 38 mlynedd.

Yr un a deithiodd bellaf oedd Huw Arthur o Aberdeen, ac roedd yn edrych yn llewyrchus iawn. Rhoddodd y gorau i ddysgu amser maith yn ôl a mynd i weithio mewn olew. Nid fel Picasso ond fel olew Môr y Gogledd yn yr Alban. Ar y llaw arall, daeth nifer fawr o ferched i'r achlysur. Rydw i wedi gweld nifer ohonyn nhw'n rheolaidd yn y Steddfod ac ati, ac nid yw'r rheiny – mwy na finne – wedi newid dim mewn deugain mlynedd. Ond roedd y rhai nas gwelais ers diwrnod ymadael wedi newid y tu hwnt i bob dychymyg – rhai'n dew a rhai'n dene, rhai'n frith a nifer yn benwyn. Anodd dirnad bod y llances adwaenwn gynt yn llechu'r tu mewn i'r corff oedd wedi'i weddnewid gan amser a phlanta. Ond yr un oedd y llais a'r wên. Allan o'r pedwar ugain ddaeth at ei gilydd, dim ond chwech sydd yn dal i weithio fel athrawon.

Pawb yn rhyfeddu gweld hen adeilad y coleg wedi'i adfer ac wrth gael ein croesawu yn yr ystafell gynnes gan y Dr Gareth Ff. Roberts yn ceisio dyfalu ym mhle oeddym – nes sylweddoli mai yma roedd y llyfrgell ers talwm. Yr hen adeilad tywyll wedi ysgafnu drwyddo. Ac mae ystafell y Prifathro yn dal ar ben grisie'r 'Well' ac aeth ambell un heibio ar flaene ei thraed gan gofio teimlo fel iâr yn gollwng drwyddi pan safem ar y mat o flaen Dic Tom.

Wel sôn am hwyl gawsom ni heddiw. Pat Lloyd (Sims) yn cael modd i fyw ar y maes golff yn y Gwbert; Barbara Williams (Tate) o Ferthyr a'i gwên heb bylu dim ac Anne Maude (o Sling) yn cychwyn y *Non nobis domine* wrth y bwrdd bwyd fel pe na baem erioed wedi gadael y fan. Alwen hoff (Parry) yn rhadlon braf a Llinos Parkin (Owen) yn brifathrawes ar ysgol gyfun fawr i lawr yn Chichester; a Gwyneth Davies (Morgan) yn mwynhau ei blwyddyn fel gwraig Uchel Siryf Gwynedd.

Roeddym yn dal i siarad am ddau o'r gloch y bore ac nid oedd yna unrhyw ddarlithydd na warden i weiddi Gosteg. Mae rhywbeth i'w ddweud dros fynd yn hen wedi'r cwbl. Braf oedd gweld unwaith eto Marnel a Liz Llangaffo, Nansi, Ella, Megan Pritchard y cyfeilydd, Eriana a Mair Fach Sir Fôn. Criw yn dal yn Lerpwl – Mair Cefn Bodig a Dotwen, Menna Osmond a Gwen Williams. Criw coll wedi magu eu plant yn ddi-Gymraeg. (Mae pob un o'r criw mawr aeth i Lundain wedi dod adre! Fi oedd yr olaf.)

Uwchben ein cinio dyma ofyn yn sydyn a dirybudd i mi siarad, ac fe fu bron i mi gael ffit. Wrth lwc mae gen i gof da ac euthum ati i'w hatgoffa sut yr oedd pethe yn oes yr arth a'r blaidd. CB – Cyn y Beatles, Cyn y Bilsen, Cyn i neb fynd i'r Lleuad. Wyddai neb am fodolaeth Margaret Thatcher. Dim papur bro na Chymdeithas yr Iaith. Cyn y mini (sgert a char) a chyn Rhyw (yn 1963 y dyfeisiwyd hwnnw, medde Philip Larkin). Ond mor ddiniwed oeddym wrth gamu drwy'r pyrth marmor i borfeydd gwelltog Percy Nunn. Who he? Ni wn ond mi sgrifennodd lyfr ar egwyddorion addysg ac roedd yn ddarllen hanfodol i bawb ohonom. Rydw i wedi darllen rhai miloedd o lyfre oddi ar hynny ond gallaf ddweud a'm llaw ar fy nghalon mai cyfrol yr hen Bercy oedd y peth mwyaf annealladwy ac amherthnasol a welwyd erioed. Roedd ymhell o realiti cigog yr ystafell ddosbarth oedd yn wynebu pawb ohonom, ddiniwed rai.

Ddaru fo mo'n rhybuddio ni mai anghenion pennaf unrhyw athro yw bod yn berchen croen eliffant, cyfansoddiad rheinosorws, llais Behemoth, tafod gwiber, clust gwenci, wyneb fel hambwrdd pres, coesau fel polion cowlas, stumog fel odyn galch a chymeriad fel angel. Rhaid hefyd gredu yn y pechod gwreiddiol a medru byw ar ychydig o gwsg potes maip. Ond wyddem ni mo hynny.

Gwneud ffrindie oes, dawnsio a chwerthin, gwneud digon o waith i dician. Cofio Liz o Langaffo a finne yn digwydd eistedd yn ochr ein gilydd yn y ddarlith Saesneg gyntaf. Yn y man cawsom gyfarwyddyd gan Miss Mona Price y darlithydd i siarad Saesneg hefo'n gilydd gan mai clonciog iawn oedd yr ail iaith i'r ddwy ohonom. Roedd yn syniad chwerthinllyd. A hollol amhosibl. Ond mor eironig – aeth Liz i Birmingham a finne i Lunden a bu rhaid meistroli'r iaith fain. Cofio Olwen o Landdoged oedd bob amser yn rhyw lithro'n osgeiddig fel pe ar olwynion. Disgwyliem weld y meillion yn ôl ei throed. A beth am Doris Ann o Gaernarfon. Roedd gwrando arni hi'n canu penillion yn brofiad cofiadwy. Canodd Gân y Cadeirio yn Eisteddfod Caernarfon 1959 a chael encôr. Iola a Falmai a Katie oedd bob amser yn driawd – a dyma nhw unwaith eto yn eistedd hefo'i gilydd yn gwbl anymwybodol eu bod yng nghanol criw o bobl. Liz Selway mor ifanc ag erioed. A Heulwen Medi – hi oed yr ieuengaf o bawb ohonom.

Cymeriad unigryw arall oedd Angharad o'r Poncie, ei thad yn AS ac roedd hi a finne mewn rhyw bicil beunydd; Eriana a'r llygaid fel eirin duon, ac Ella drefnus, Mary Pencader a roddodd y sigarét gyntaf erioed i mi. Cofio'r darlithydd a ddywedodd wrthym, 'I lost my virginity on a banana boat' a ninne'n gegagored o glywed y fath beth. Be andros oedd banana boat meddem yn syn . . .

Llwyddais i dynnu llun pob un oedd yno. Llond albwm o hen wynebe.

Medi 16

Mae Mati Wyn Prichard wedi marw yn 86 oed. Mi fyddai ganddi golofn yn *Y Cymro* yn llawn clecs gyda stori fach flasus am bob math o bobl – o Gymry Llundain i fyd y theatrau, o'r Senedd i Soho. Cofio'i gweld am y tro cyntaf. Steddfod Llangefni 1957. Un o nosweithie llawen Cymry Llundain oedd hi, yn hwyr y nos mewn rhyw sinema, ac yn sydyn ar ganol eitem dyma gi rhech bychan oedd yn eistedd yn y sêt flaen yn dechre cyfarth yn fân ac yn fuan. Nid oedd dichon ei dawelu. Chwerthin wnaeth pawb gan ein bod yn nabod Benji, ci Mati a Caradog, ac yn gwybod ei fod yn mwynhau'r canu. Byddai'n cael ei dywys ar hyd y Maes mewn basged olwyn.

Credwn mai dynes fawreddog gyfoethog oedd Mati. Cwbl anghywir. Oedd, yr oedd yn gwisgo'n grand a chanddi bob amser het drawiadol yn cuddio'r gwallt melyn. Coluro gofalus, ymddangosiad dramatig ac yn gwybod sut i gerdded a sut i hoelio sylw. Yn medru siarad fel llif Awst yn y ddwy iaith. Gŵr a gwraig annhebyg i'w gilydd! Mattie Adele Gwynne Evans o'r Gilfach Goch ym Morgannwg a Caradog Prichard, y bardd prudd o ardal chwareli Bethesda. Mati'n siaradus, Caradog yn hoffi'r encilion ac yn gwenu'n ddistaw drwy gwmwl o fwg sigarét. Ond y ddau'n dibynnu ar ei gilydd ac nid oedd y naill yn gyflawn heb y llall. Nid fel dwy lwy ond fel cyllell a fforc. Yr oedd eu cartref yn un croesawus iawn a byddai Mati yn cynnal *soirées*. Mi welodd botensial Ryan yn syth a gofalodd fod sgowt o gwmni recordiau yno un noson i'w glywed o a Rhydderch yn canu. Ac yn wir, yn groes i'n syniad, nid oedd Mati yn gyfoethog o gwbl. Digon llwm arni ar brydie. Siaradai Gymraeg y gogledd ag acen y de!

Medi 20

John Habgood, Archesgob Caerefrog, yn dweud bod gan fwncïod eneidiau a'u bod yn mynd i'r nefoedd. Oes yne fananas yn y nefoedd, tybed?

Hydref 24
Cael f'atgoffa heddiw pa mor annymunol y medr plant fod tuag at ei gilydd. Pan anwyd Ben, mi ddywedwyd wrth ei fam y byddai'n fachgen tal, ac yn wir er nad yw eto'n bump oed mae'n gwisgo dillad ar gyfer plentyn naw oed. Oherwydd ei fod mor dal, mae'n cael ei alw yn 'freak' gan y plant eraill ac maent hefyd yn gwneud hwyl am ei ben am fod ganddo eirfa eang. Rhoddodd yntau belten i un o'i herwyr a chael ei gosbi gan yr athro! Druan o Ben!

Tachwedd 5
A dyma ni ar fwrdd y llong *Cunard Princess* yn hwylio o gwmpas ynysoedd y Caribî. Hedfan i ddinas San Juan yn Puerto Rico o Fanceinion a chael ein pacio i'r awyren megis y diarhebol sardiniaid. Roedd unrhyw un dros bum troedfedd yn cerdded yn ei gwman pan roddwyd traed ar y ddaear. Wedi mynd ag un o nofele Ruth Rendell yn fy mag i'w darllen ar yr awyren ond yn anffodus diffoddwyd y goleuade a'n gorfodi i wylio ffilm frawychus am lifftie'n disgyn a thren yn rhedeg i ffwrdd. Ddim yn rhywbeth i fagu hyder wrth hofran yn y nwyfre 39,000 troedfedd uwchben y ddaear bell islaw. Felly criw digon dreng ymlwybrodd o'r awyren i wres llethol llonydd San Juan. Roedd fel cael eich taro ar draws eich talcen â haearn smwddio poeth.

Ar yr awyren roedd pawb wedi llenwi ffurflen er mwyn cael glanio ar dir yr Unol Daleithiau, gan mai dinasyddion o'r wlad honno yw trigolion Puerto Rico ers 1917. Welais i erioed fiwrocratiaeth ddallach. Rhes o gwestiyne, yn cynnwys un yn gofyn a oedd yn fwriad gennyf i danseilio llywodraeth yr Unol Daleithiau. Cael fy nhemtio am hanner eiliad i efelychu Gilbert Harding, atebodd yr union gwestiwn â'r geiriau 'Sole purpose of visit'. Ond fiw inni ddechrau ponsio o gwmpas hefo'r Americaniaid heddiw.

Wedyn ciwio. Am awr. A dynion blonegog gyda

gynnau'n archwilio pob ffurflen yn fanwl ac os oedd unrhyw un wedi gwneud y camgymeriad lleiaf yn y byd, yn ôl i gynffon y ciw i ail-lenwi ffurflen arall. Pawb yn boeth ac yn flin, a chawsom hunangofiant llawn y pâr priod o Leek oedd y tu ôl inni yn y ciw.

Drwy'r fflodiart o'r diwedd. Hwrê! Ond na! Ciw arall a bu rhaid sefyll fel delwau tra oedd helgi'n snwfflian ein bagie. Yn sydyn, dyma waedd a merch yng nghanol y ciw a'i dwylo i fyny a chynnwys ei bag yn cael ei chwalu ar y bwrdd. Pawb yn llygaid i gyd. Yr oedd y faeden ddrwg wedi smyglo afal i'r wlad. 'Croeso i'r Unol Daleithiau' meddai'r geirie ar ben y ffurflen.

Tachwedd 6

Cyrraedd Saint Maarten, ynys fechan wedi'i rhannu'n ddwy rhwng Ffrainc a'r Isediroedd yn weddol gyfartal er 1648. Enwyd hi gan Columbus, a laniodd yno yn 1493 ar 11 Tachwedd, sef gŵyl Sant Martin. Nid oes afon ar yr ynys. Fedraf i ddim dychmygu byw heb weld afon – mae afonydd Dyfrdwy a Chlwyd a nifer o nentydd wedi llonni fy mywyd. Byddaf yn llenwi fy nghof yn aml wrth feddwl am afon Clwyd ar waelod Rhydonnen â'i helyrch a'i dyfrgwn a'i ieir dŵr. Bu pob math o bobl yn byw yma – o'r Carib cynnar, drwy ormes gwledydd Ewropeaidd a ddaeth â'r caethweision yma. Saesneg yw'r brif iaith. Ar ochr yr Iseldiroedd ceir bywyd nos bywiog, a siopau tlysau a nifer o casinos. Ar ochr Ffrainc – traethau i'r noethlymunwyr, bwyd a dillad.

Tachwedd 7

Yn Guadeloupe. Annioddefol o boeth a drewllyd yn y farchnad. Ynys dlawd iawn. Pob math o bethau egsotig ar werth: pupur, nytmeg, bananas, sinamon. Cryn dipyn o hwrjio. Pobl yn byw mewn tai tebyg i gytiau moch. Eiddo

Ffrainc yw hi ac fe fu Columbus yma hefyd, a dyma lle y darganfu'r afal pin cyntaf. Yn 1989 gwnaed difrod dychrynllyd gan Hurricane Hugo; gadawyd 31,000 yn ddigartref, difethwyd yr holl gynhaeaf bananas a 60% o'r siwgr. Ond mae yma bobl hapus!

Tachwedd 8

Cofio Mam wrth bobi'n canu rhyw hen gân inni yn blant am nytmeg a sunsur a sinamon a mes. Ninnau'n methu deall pam 'roedd angen rhoi ffrwyth y dderwen mewn teisen sunsur neu fara brith. Yn ein byd bach ni, bwyd moch oedd mes. Ond darn o'r nytmeg ydyw erbyn deall. A heddiw, ar ynys Grenada mi gofiais unwaith eto am y gân wrth grwydro'r Gerddi Sbeis enwog. Pob un o'r synhwyre'n cael ei llethu; arogl meddwol y nytmeg a'r sinamon, y llygaid yn cael eu denu at y blode hibiscws gogoneddus oedd yn sbecian yma ac acw a'r coed mahogani yn esmwyth dan ein bysedd. Coed bron cyn hyned â'r cread.

Cawsom borthi ein synnwyr dial hefyd o weld Americanwr blonegog a chegog yn rhy brysur yn siarad i ofalu ym mhle yr oedd yn rhoi ei draed, ac ar laswellt llathraidd a llithrig wedi cawod o law wele ef yn diflannu din dros ben i ganol llwyn pigog. Pawb yn edrych yn llawn cydymdeimlad ac yn ceisio peidio â chwerthin wrth ei weld yn gorwedd yno ac yn amharu ar heddwch y fyddin o grwbanod oedd yn mwynhau melys gwsg nes dyfod yr afalans ar eu gwarthaf. Roeddem wedi cael llond bol ar yr hybarch o Galiffornia beth bynnag.

Taith mewn tacsi hefo Pam a Colin, ein cyfeillion hoff o Bontllan-fraith, o gwmpas yr ynys a'r gyrrwr yn huawdl ac yn siarad pedair iaith a *patois* ac am hanner y flwyddyn yn gweithio fel *trucker* yng ngogledd America. Mae yma lywodraeth ddemocrataidd. A chriced yn frenin, ac wedi dyfodiad y llonge pleser yma mae'r economi yn iach.

Tachwedd 9

Yn St Lucia. Ynys hardd iawn ac yn lân, a'r tymheredd bron yn gant. Blode lliwgar ond mae yma dlodi, yn arbennig ar ôl i Hurricane Hugo achosi difrod dychrynllyd a difrodi'r ffermydd banana. Mae'r ynyswyr yn gwbl ddibynnol ar dwristiaeth a'r prif dynfa yw dau fynydd y Pitons sydd yn teyrnasu dros y lle. Gall yr ynys ymffrostio bod ganddi ddau lenor sydd wedi ennill Gwobr Nobel am Lenyddiaeth, sef Arthur Lewis yn 1979 a Derek Walcott yn 1992. Record anhygoel i ynys fechan. Prynais ddoli glwt, a'i henwi yn Lleucu wrth gwrs.

Tachwedd 10

Yn St Kitts. Pistyllio. Mynd mewn *surrey* o gwmpas yr ynys. Wrth lwc roedd y 'fringe on top' yn creu awel. Drwy bentrefi budr ac ieir ym mhobman ar hyd y ffyrdd, ac ymweld â ffatri'n gwneud deunydd *batik* yn Romney Manor, cartref meistr y blanhigfa erstalwm. Ynys Brydeinig iawn a'r Frenhines a chriced yn cael parch mawr. Hon oedd yr ynys gyntaf i gael ei gwladychu gan Ewropeaid. Roedd y caethweision yn cael eu camdrin yn arw.

Tachwedd 11

Ynys St Thomas. Cliff yn cael ei benblwydd yn 75 oed a chawsom barti a photel siampên gan y cwmni. Mae rhai o'r ynyswyr yn dechrau dod i ddeall sut i ddenu ymwelwyr ac mae amgueddfa gwrel yma. Rhoi fy llaw ar seren fôr gan ddisgwyl iddo fo deimlo fel clustog. Ond yr oedd galeted â charreg. Mentro crafu cefn siarc oedd yn gwibio o gwmpas y llyn megis darn o barddu, a chanfod ei fod mor felfedaidd â phorchellyn. Yna, i lawr i'r adeilad hynod hanner can troedfedd o dan y môr er mwyn inni fedru cael golwg iawn ar y cwrel a gwylio'r pysgod yn eu hamgylchedd naturiol. Cwrel o bob lliw dan haul, yn llonydd, yn ysig, yn symud fel gwallt môr-forwyn. A phob pysgodyn yn debyg i rywun ac yn f'atgoffa o bobl: dyna Charles de Gaulle yn mynd heibio a'i drwyn yn yr awyr. A dacw bysgodyn â cheg swci fel Norman Lamont. A beth am yr un ysgarlad â'r llygaid mawr du? Margaret Williams, wrth gwrs. Un bychan melyn a cheg fel ogof – Barbara Windsor meddem ar un gwynt. Ac ar fy ngwir dyma un yr un ffunud â'r Parch. Richard Jones, Cwmgors, Woolwich gynt. Coffa da amdano – fo fendithiodd ein priodas yn y bar yng Nghlwb Cymry Llundain fis Rhagfyr 1971.

Tachwedd 12

Yn ôl yn San Juan gan fod hanner y teithwyr yn gadael a llwyth newydd yn cyrraedd o Fanceinion. Rhaid oedd mynd i far y Barrachino lle gwnaed y pina colada cyntaf erioed. A phlac ar y wal y tu allan yn nodi hynny. Y mae'n ddiod hyfryd, wedi'i gwneud hefo rỳm, sudd afal pin, rhew a hufen coconyt. Bendigedig.

Tachwedd 13

Ar ynys Tortola. Y môr glasaf a welais erioed. Poblogaeth o 12,000. Galwodd Columbus yma a rhoi iddi enw yn golygu durtur. Newidiwyd hwnnw gan yr Iseldirwyr yn Ter Thilen ac yna gan y Prydeinwyr yn Tortola. Ffynhonnell yr arian mawr a wnaed yma ar un adeg oedd siwgr, ond pan ryddhawyd y caethion aeth y diwydiant i'r wal a gadawodd y bobl wynion, gefnog yr ynyswyr i'w tynged.

Tachwedd 14

Yn Antigua. Ynys lewyrchus gyda llawer yn dod yma i hwylio, a bancio hefyd. Columbus enwodd yr ynys, o barch i Santa Maria de la Antigua, sef Mair Hen. Enw'r brodorion gwreiddiol arni oedd Wadadli, sef 'ni a'i piau'. Eironig iawn. Cafodd y brodorion a'r caethweision amser caled dan law'r meistri ac roedd y gosb yn arbennig o lem am anufuddhau neu wrthryfela yn erbyn y drefn. Gweld docie Nelson. Do, mi fuodd o yma hefyd ond nid oedd yn boblogaidd iawn. Ar bob ynys roedd yna newydd da a newydd drwg. Y newydd da oedd bod pob neidr wedi diflannu ar ôl i ryw gapten neu'i gilydd fewnforio mongŵs a'r newydd drwg oedd bob pob palmant a ffordd yn dyllau. Y newydd da arall oedd bod pawb wedi clywed am Forgannwg oherwydd bod Viv Richards, a anwyd ar yr ynys hon, wedi chwarae criced yno. Y newydd drwg oedd bod pawb yn meddwl mai yn Lloegr mae Morgannwg.

Tachwedd 15

Ym Martinique Ffrengig. Blode lond y lle. Mae fel bod yn Ffrainc gan mai Ffrangeg yw'r iaith ac maent yn anfon pedwar aelod 'seneddol' i Baris. Yn y siopau gwelir nwydde Chanel a Limoges, ac yn y blaen.

Tachwedd 16

Yn Barbados. Prydeinig dros ben. Colofn i Nelson ar y sgwâr – codwyd ymhell cyn yr un ar Sgwâr Trafalgar yn Llundain. Maent yn addoli dau beth: Elisabeth yr Ail a'r cricedwr Syr Garfield Sobers, a anwyd yma. Golwg mwy llewyrchus a mwy o drefn yma. Ymweld ag eglwys hynafol Sant Iago; cerrig beddi rhai o'r mawrion gwyn yn llenwi'r fynwent. Y tu mewn roedd yno organydd medrus. 'Fedrwch chi chware Cwm Rhondda,' meddem. Medrai wrth gwrs. Roedd yn ddewin a dyma ni'n canu pedwar llais (roedd Pam a Colin hefo ni) nes llenwi'r eglwys a synnu pawb oedd yno. 'Mae'r Cymry yn medru canu!' ebe'r organydd. Yr oedd hwn yn gwybod nad yn Lloegr y mae Morgannwg.

Tachwedd 20

A dyma ni adre am 8.30 y bore wedi taith hir. Hedfan o San

Juan wedi oriau annifyr iawn. Ddoe roedd yn ddiwrnod dathlu dyfodiad Christopher Columbus i Puerto Rico yn 1493 ac roedd y siopau wedi cau. Ac mi ddaeth y glaw trymaf a welais erioed. Erbyn inni gyrraedd adre roedd y dŵr wedi treiddio i'r cesys, oedd wedi cael eu gadael allan cyn eu cludo i'r awyren. Nid oedd wedi glawio ers wyth mis, felly roedd yna lawer o bobl yn ei groesawu. Wrth lwc roedd Côr Plant Harlem o Efrog Newydd yno i'n diddanu ac roeddynt yn canu fel angylion. Y Loteri Genedlaethol yn cychwyn heddiw. Dioddef o lag jet.

Rhagfyr 2

Diolch fy mod wedi dadflino oherwydd roedd rhaid bod yn gwbl effro heno gan fy mod ar banel *Pawb a'i Farn* yn fyw o Ysgol Brynhyfryd. Huw Edwards, mab Hywel Teifi, yn y gadair a Carl Davies a Syr Wyn Roberts oedd y ddau arall ar y panel. Cael cwestiynau ar bwnc llosg y bygythiad i godi TAW ar danwydd; eithrio ysgolion (yr wyf yn gant y cant yn erbyn), Vinnie Jones (sydd yn mynd i chwarae pêl-droed dros Gymru yn sgil y ffaith fod ei daid wedi'i eni yn Rhuthun!) a datganoli. Aeth popeth yn iawn, am a wn i.

Rhagfyr 13

Y cwmni insiwrans eisiau prawf o werth y dillad a ddifethwyd gan y glaw yn San Juan. Nid oes gen i filiau am bethe brynwyd flwyddyn yn ôl. Cerdyn Nadolig oddi wrth y Parch. Richard Jones, Cwm-gors, Woolwich gynt. Wedi darllen fy ngholofn yn y *Western Mail* yn dweud i mi weld pysgodyn tebyg iddo yn yr amgueddfa gwrel yn St Thomas, ac meddai, 'Trueni fod fy nghyfreithiwr yn rhy brysur dros y Nadolig.' Chwarae teg iddo – mae o bob amser wedi bod yn berchen digon o hiwmor.

Rhagfyr 24
Buddug druan. Rhwng ffrindie'r plant, pobl y capel a pherthnase cafodd hanner cant o ymwelwyr heddiw. Ac o'i nabod hi cafodd pob un baned a mins pei.

1995
Cael Pryd o Fwyd mewn Palas

Ionawr 31

A dyma fis prysur wedi gwibio o dan fy nhrwyn ac rwyf wedi cofnodi marwolaeth peth wmbredd o bobl yn ystod y mis – rhai na fydd colled ar eu holau, megis Fred West y llofrudd troëdig a laddodd nifer o ferched a'u claddu yn y seler. Crogodd ei hun yn y carchar. Diolch am ei le. Wedyn Peter Cook yn 56 oed, comedïwr galluog iawn oedd yn gwneud deialogau doniol hefo Dudley Moore. Yr oedd Moore yn byw yn Dagenham, drws nesaf i Arthur o Siop Griffs, Llundain. Hefyd bu farw Rose Fitzgerald Kennedy yn 104 oed – mam i naw o blant. Collodd dri mab – un yn y rhyfel a dau wedi'u saethu. Ceir straeon am ei chymeriad haearnaidd. Bu farw Philip Burton yn 90 oed, athro y cymerodd Richard Jenkins ei gyfenw oddi wrtho.

Chwefror 1

Yr oedd capel Cefnddwysarn dan ei sang heddiw yn angladd Dwysan. Mae'r ardal hon wedi hen arfer ag angladdau mawr. Ddiwedd y ganrif ddiwethaf bu farw Thomas E Ellis, ac ar 11eg Ebrill 1899 dylifodd cenedl i Gefnddwysarn. I bobl y fro, mab y Cynlas oedd o, nid Prif Chwip y Llywodraeth. Mae ei fedd wrth y capel ac arni groes Geltaidd uchel, ac yn reit agos ato mae bedd Mari Evan, fy hen hen hen nain. Roedd Mari'n anllythrennog ond yn medru adrodd y Salmau i gyd ar ei chof. Medi 14, 1931 bu angladd mawr arall, sef angladd David Robert Daniel, ysgrifennydd Undeb Chwarelwyr Gogledd Cymru a chyfaill mynwesol Tom Ellis. Fore Calan 1962 claddwyd Bob Lloyd, y Llwyd o'r Bryn, dyn unigryw a anwyd Flwyddyn Naid 1888. A ddoe, angladd enfawr arall – ei ferch Dwysan.

Chwefror 3

Lladdwyd mam 30 oed pan syrthiodd dan olwynion lorri fawr mewn protest yn erbyn allforio anifeiliaid byw. Nid oes ar neb ohonom eisiau gweld anifeiliaid yn dioddef – yn arbennig os ydyn nhw'n rhai blewog hefo llygaid mawr, huawdl. Ond pwy fyddai'n barod i fynd i garchar dros hawliau llygod mawr? Neu grocodeil? Ac rwyf yn ferch fferm, wedi'r cwbl. Wedi tyfu i fyny yn gorfod ffarwelio ag aml anifail hoff. Yn arbennig ambell oen llyweth neu fochyn cyfeillgar.

Mawrth 5

Gweld yn y papur bod Cwmni Trafnidiaeth Llundain yn brin o bres ac yn awgrymu y medrai cwmnïau masnachol, efallai, hyrwyddo'r gorsafoedd ac y medrid newid yr enwau fel rhan o'r hyrwyddo. Mae'n syniad gwallgof gan fod enwau'r gorsafoedd yn adrodd cyfrolau. Llawer o enwau barddonol hefyd. Beth am fynd am dro drwy Goedwig Sant Ioan dros Bont y Tŵr a thrwy'r Bwa Marmor at odre'r Dderwen Losg, sef o St John's Wood dros Tower Bridge drwy Marble Arch ac i Burnt Oak. Mae enwau rhai ohonyn nhw yn dwyn atgofion lond y lle i mi: Sloane Square ar waelod y King's Road, ac oddi yno byddwn yn cerdded i'r ysgol heibio siop fawr Peter Jones gan brynu copi o'r *Daily Post* yn Smith's ar y gornel a heibio i siop newydd gyntaf Mary Quant a siop hetiau Aage Thaarup, barics y Diwc o Iorc a thafarn goffi Pen Draw'r Byd ac i mewn i'r ysgol oer a swnllyd.

Yr orsaf bwysicaf i lawer ohonom oedd Croes y Brenin, ac o'r fan honno y byddai ugeinie ohonom yn tywallt allan ac yn cerdded i fyny Heol Gray's Inn i'r Clwb Cymraeg. Ni wyddwn yr adeg honno mai'r un Gray oedd hwn â Reginald de Grey o Gastell Rhuthun. A'r lle anwylaf dan haul oedd gorsaf Willesden Green, oedd o fewn tafliad carreg i'n fflat, a elwid yn Llysgenhadaeth Gymreig a lle y dysgais siarad Caerfyrddineg yng nghwmni criw o ferched am flynyddoedd mor ddiofal â'r aderyn. Mae'r criw wedi chwalu ers dros ddeg mlynedd ar hugain er fy mod yn dal mewn cysylltiad â nhw.

Ac yn ddiweddarach, i orsaf Holloway Road yr awn bob bore i fynd i'r ysgol ac yn y fan honno y prynais gopi o'r *Evening Standard* a gweld y pennawd am drychineb Aberfan. Nid nepell roedd capel Holloway lle roedd William Lloyd Price yn weinidog a'i dair merch fach – Gwenno (Hywyn), Luned a Carys – yn bytiau bach del. A chefais f'atgoffa am y capel wrth glywed Geraint H Jenkins yn sôn am Doc Tom ar y radio neithiwr. Yr oedd y gwron hwnnw yn medru bod yn brin ei eirie, meddir, ac wrth ymateb i gais gafodd gan Dr Tudur anfonodd yn ôl fel hyn: AG, OK, YG, TR. Sef o'i gyfieithu: Annwyl Gyfaill, Iawn, Yn gywir, Tom Richards.

Ond roedd yne rai oedd hyd yn oed yn brinnach eu geirie oherwydd pan anfonodd Gwilym Lloyd (Llwyd Llangar), ysgrifennydd capel Holloway, at George Bernard Shaw yn ei wahodd i siarad yn y gymdeithas, daeth y cerdyn yn ôl a'r gair NO! ar ei waelod.

Na, fuaswn i ddim yn hoffi colli'r enwe persain ar orsafoedd tanddaearol Llundain – pwy fydde eisiau teithio i McDonald yn hytrach na Marylebone neu BT yn lle'r Banc. Yn yr Angel y cwrddais i ag ef gyntaf nid yn Amstrad.

Mawrth 28

Darn ar y newyddion heno am y Ffiwsilwyr Cymreig yn siarad Cymraeg yn Bosnia er mwyn ffwndro'r gelyn. Braf clywed bod i'n hiaith ei manteision, ac fel y dywedodd rhyw ddarllenydd newyddion sinigaidd ar fwletin y teledu, 'Nid oes llawer o Serbiaid yn siarad Cymraeg'. Y peth rhyfedd yw na fuasai mwy yn manteisio arni fel y gwnaeth Lloyd George pan ddychwelodd o'r trafodaethau ar ddiwedd y Rhyfel Mawr. Dynion y wasg yn berwi o gwmpas Stryd Downing eisiau gwybod beth oedd wedi digwydd a'r gwladweinydd ddim yn barod i ddweud dim. Yng nghanol y criw o newyddiadurwyr yr oedd yne Gymro o'r *News Chronicle* a dyma fo'n gweiddi, 'A oes Heddwch?' Edrychodd Lloyd George arno a'i lygaid yn llawn direidi. 'Heddwch!' meddai, a chafodd y Cymro sgŵp ei fywyd. Ef oedd yr unig un a ddeallodd fod y trafodaethau wedi bod yn llwyddiant.

Mae geiriau bychain hen ieithoedd diflanedig yn medru bod yn ddadlennol. Dyna i chi Syr Charles Napier yn 1843 yn anfon neges i Lundain o'r India lle roedd yn ffyrnig wynebu gwrthryfel. Dim ond un gair oedd y neges, 'Peccavi'. Yr adeg honno roedd pobl wedi cael gwersi Lladin yn yr ysgol (dylid eu hadfer . . .) ac fe welsant yr ergyd yn syth. Ystyr *peccavi* yw 'Mi a bechais', neu yn Saesneg, '*I have sinned,*' a'r hyn yr oedd y neges yn ei gyfleu oedd ei fod wedi cipio dinas Sindh. Yr oedd Syr Charles yn or-or-ŵyr i Siarl II.

Mawrth 30

Angladd enfawr yn yr East End, miloedd yn llenwi'r strydoedd, ceffylau duon yn blu i gyd – yn tynnu hers Ronnie Kray. Un o'r dynion peryclaf fu'n gwneud bywyd yn uffern i nifer o drigolion. Efaill Reggie ac yn meddwl y byd o'i fam. Cawsant oes o garchar ill dau. Dynion drwg.

Ebrill 3

Mae CB wedi mynd ar dân. Ac wrth weld y fflamau'n llyfu'r awyr y geiriau gwirion a ddaeth i 'meddwl oedd: 'No more CB buns for tea', geiriau un o ganeuon y coleg. Lle pwysig oedd CB – Central Block y Coleg Normal – oherwydd yn y fan honno roedd ein bwyd ac roedd yn dda iawn hefyd.

Cofio'n iawn fel y byddwn yn rhuthro yno ar fore oer yn y gaeaf o'r cwrt uchaf lle byddem yn ymarfer pêl-rwyd. Y wefr o glywed y gloch a rhedeg heibio'r llwyni banadl i lawr y grisiau cerrig, o dan y bwa ac i mewn â ni ar ein cythlwng. Yr oedd CB yn rhan bwysig o'n cynhaliaeth a'n cymdeithasu. Byrddau hir dan lieinie gwyn, ac ar bob pen o dan y ffenestri hirgul yr oedd y byrddau uchel lle'r eisteddai Prinni a'r darlithwyr. Richard Thomas oedd y Prinni. Roedd ar bob myfyriwr ei ofn a'r rhan fwyaf o'r darlithwyr hefyd. Byddem yn gofyn bendith o flaen prydau bwyd ac roedd gennym fendith Ladin. Myra o Fynwent y Crynwyr ac Anne o Dregarth fyddai'n taro'r nodyn a ninne'n eu dilyn. *Non nobis domine,* medden ni fel rhes o leianod gan symud o untroed oediog i'r llall yn ein hysfa am gael ymosod ar y bwyd. Weithie byddai Miss Enid Williams yn gofyn bendith. Cerdd oedd ei phwnc hi a Ging roedd pawb yn ei galw. Yn ei golwg hi roedd yr iaith Gymraeg yn gomon a'r merched oedd yn siarad Cymraeg yn gomon. Hynny yw 99% ohonom. Ond yn CB, o flaen y bwrdd bwyd, byddai'n gofyn bendith yn Gymraeg er na wyddem hynny am dipyn gan ryfedded y fendith. 'A fendico a fendiced,' meddai a chau ei cheg fel clicied. Clustfeiniem yn daer i geisio dirnad beth oedd yn ei ddweud. A methem â deall pam ei bod yn siarad iaith gomon hefo Duw.

Ac wrth weld CB yn mynd yn bentwr o lwch dene'r meddylie ddaeth i mi.

Ebrill 27

Yn Llundain. Wedi cael gwahoddiad i roi sgwrs i'r Gwyneddigion. Peter R. Williams ydy'r ysgrifennydd diwyd. Mae o'n nai i Gwilym, Esgob Bangor, ac yn hanner addoli John Eilian. Sgwrs hefo Dafydd Wigley ar y trên o'r Rhyl. Mae hi'n ddifyr yn y Senedd medde fo. Tony Blair yn llorio John Major bob gafael. Dafydd mewn tipyn o boen yn ei gefn wedi iddo gael ei daro i lawr y tu allan i'r Senedd. Rydym yn aros yn y New Barbican ac wedi cael stafell enfawr, yr hyn elwir yn 'executive suite' gan mai Duncan, brawd Simon, yw'r rheolwr! Ni wyddem hynny tan inni gofrestru. Mae Ginger Rogers wedi marw. Hi oedd partner dawnsio Fred Astaire a phan fyddai Fred yn canmol ei hun ac yn dweud dawnsiwr mor dda oedd o, byddai hithau'n dweud, 'And I did it all backwards in high heels'.

Ebrill 28

Diwrnod od braidd. Aethom am dro i'r hen ysgol, Islington Green, a gweld bod arni angen paent a bod y ffenestri i gyd yn fudr. Dim ond tri athro sydd ar ôl o'n hamser ni, allan o'r pedwar ugain chwe mlynedd yn ôl. Siarad yng nghapel Jewin heno a chael croeso mawr. Yn falch iawn o weld bod yna o leiaf un ferch ifanc wedi ymaelodi, sef Elin Haf o'r Parc, y Bala, sydd yn nyrs yma. Cyn y cyfarfod cawsom bnawn neis iawn. Wedi cael gwahoddiad gan Elwyn Evans (BBC) am bryd o fwyd yn yr Arts Club, Stryd Dover ger Picadili a chefais y platied gore erioed o eog mwg. Clwb dethol iawn ar gyfer pobl sydd yn ymwneud â'r celfyddydau ydy o, ac fe'i sefydlwyd yn 1863 gan Charles Dickens ac Anthony Trollope. Wrth ddringo'r grisiau troellog a chydio yn y canllawiau haearn bwrw sglein mi wyddwn fy mod yn dilyn ôl troed Monet a Degas, Whistler a Kipling. Pwy oedd yn sipian ei goffi wrth y bwrdd nesaf atom ond David Frost. Cymerais arnaf nad oeddwn yn ei 'nabod. Hen drwyn ydy o.

Ebrill 29

Y gwesty'n llawn o gefnogwyr Wigan gan ei bod yn gêm derfynol Rygbi'r Gynghrair heddiw. Swnllyd iawn ond yn gwrtais. Pryd o fwyd yn y Mondello, ein hoff fwyty Eidalaidd, hefo'n ffrindie Alan a Gloria. Croeso mawr gan y perchennog, Salvatore. 'Professore!' meddai gan osod potel enfawr o Chianti ar y bwrdd inni. Ofni mai dyma'r tro olaf y cawn weld Alan. Mae o'n marw o glefyd Gaucher, sef salwch etifeddol sydd yn cael ei achosi gan ddiffyg yr ensym gluco-cerebrosidase, clefyd sydd fel rheol yn ymosod ar Iddewon o dras Ashkenazi. Ychydig iawn sydd yn dioddef o'r clefyd ym Mhrydain ond mae yna gymdeithas wedi'i ffurfio ac Alan yw'r trysorydd. Clefyd sydd yn ymosod ar bob organ yn y corff. Druan ohono.

Mai 20

Rhywun ar y radio yn poeni nad yw plant yn cael cyfle i chwarae y dyddie yma. Ond mae yne rai sydd yn medru difyrru eu hunain yn iawn. Heddiw, yng ngardd drws nesa, clywais chwech o enethod bach yn chwarae. Beth yw'r gêm, tybed? Te parti i'r dolis? Nage. Maent yn chware steddfod! Clywed Eurgain yn gofyn, 'Ydy'r beirniad yn barod?' Wedyn mae Catrin yn sefyll ar ben stôl ac yn canu. Canu fel eos – a pha ryfedd – mae hi'n un o hil gerdd y Vaughan-Evansiaid o'r Betws. Wedyn mae Manon, y beirniad, yn traddodi. 'Llais da,' medde hi 'Geirio clir, safiad hapus,' medde hi wedyn. Gweiddi a chymeradwyo mawr wrth i'r unawdydd buddugol gael ei anrhydeddu hefo'r Rhuban Glas. Yr oeddwn wrth fy modd. Tra bod cannoedd yn eistedd o flaen teledu neu gyfrifiadur, mae'r rhain yn defnyddio'u dychymyg a'u dawn.

Mai 24

Mae Harold Wilson wedi marw. Roedd yn drueni gweld meddwl mor ddisglair yn mynd yn aberth i glefyd Alzheimer. Roedd gweld ei wyneb a chlywed ei lais yn dod â'r 60au yn ôl. Ai dyna'r tro olaf i bawb yn y wlad fod yn hapus? Synnwn i ddim. Oes y Beatles, pawb mewn gwaith a finne'n ifanc. A ddim yn sylweddoli pa mor braf oedd cael bod yn ifanc.

Mehefin 27
Mae Puleston Morris Siân wedi cael cyw. Enw'r tad yw Dyfnog Monarch ac aethom i'w gweld yn Rhydonnen. Mynyddoedd Clwyd ar eu gore. Hiraethog draw, Moel Fama yn biws yn y tes ac yng ngwaelod y Weirglodd Isaf afon Clwyd yn sefyllian yn y coed ac alarch a'i chywion yn llifo i lawr i gyfeiriad Pont Glan y Wern. Ac yn y Cae Dan Tŷ dene Siân a'i merch fach yn sefyll mor sidêt ar ei charnau newydd, llygaid fel Sophia Loren a gweflau melfed du, yr un melfed meddal â het Lisi Ann, merch Huw Dau Lais erstalwm.

Gorffennaf 10
Andros o storm heno. Gwrando ar sgwrs gan Rowland Williams, un o archifwyr Clwyd, oeddem ni yn festri'r capel Saesneg a dyna glec a diffoddodd y goleuade a larwm siope'r dre yn dechre canu'n groch unsain a'r glaw yn llifo'n genlli i lawr y stryd ac i mewn drwy ddrws tafarn Wynnstay. Gwlychais yn domen a chyrraedd adre, a dene lle roedd Jonsi yn eistedd fel Sffincs ar waelod y grisie gystal â dweud, 'Ble buost ti a finne mewn braw?' Ac roedd Dyffryn Clwyd yn ddi-drydan, ddi-degell, ddi-deledu a di-deipiadur. Hynny yw, fedrwn i wneud dim. Cynnau cannwyll, tywallt gwydraid o win a rhoi'r gath ar fy nglin. Yng ngole cannwyll ceir cysgodion. Ac roedd Jonsi'n gweld pob cysgod fel gelyn marwol ac yn neidio a chythru, ei llygaid yn gwibio a'i chynffon fel semaffôr. Gwelodd gysgod ei chlustie ei hun ar y wal a phownsio. Cawsom hwyl ein dwy. Aeth fy meddwl yn ôl i'r 40au pan fu storm enfawr ac y lladdwyd Preis Jones y Topie, Gwyddelwern, pan ddaeth mellten i lawr y simdde. Mam bob amser yn dweud bod eisiau gadael drws yn agored mewn storm er mwyn i'r fellten fedru mynd allan.

Awst 2

Y plant yn mudo i Lisbon. Lesley wedi cael swydd prifathrawes yr ysgol ryngwladol yno. Gwersi mewn tair iaith a dim mwy na 18 mewn dosbarth. Cliff yn hiraethu'n barod. Fel arfer, mae Ben bump oed y peth tebycaf i *scud missile* ond Lesley yn dweud ei fod yn anarferol o ddistaw ar y daith. Meddwl mai hiraethu am y cŵn a'r cathod a'r gwningen (Rabbit Pie) oedd o. Deall wedyn fod brech yr ieir arno.

Awst 4

Am dro i weld Maes y Steddfod yn Abergele. Diwrnod crasboeth. Maes mawr crimp ac yn clecian dan draed. Mae cannwyll fy llygad – fy nheipiadur electronig – wedi cael trawiad ar y galon a'i gipio i'r ysbyty. Rhoddodd glec a thrigodd yn y fan a'r lle, a bydd yn costio o leiaf ganpunt i'w drwsio. Ar y ffordd adre o'r Maes daeth sbardun y car i ddiwedd ei oes. Gwneud wyneb nadu yn garej Peter Evans yn Llanrhaeadr a chael benthyg car ac addewid o drwsio reit sydyn. Cyrraedd adre i ganfod bod yne nyth cacwn uwchben y drws ffrynt. Cyflafan drwy bowdr.

Awst 5

Wedi sgwennu colofn am arwr lleol, Emrys ap Iwan, ar gyfer y *Western Mail* gan nodi bod ffeithiau T Gwynn Jones, arwr lleol arall, am ap Iwan yn anghywir yn ei gofiant iddo. Awgrymais na ddylid mynd ar bererindod i Fryn Aber i weld y plac sydd yn datgan 'Yma y ganwyd Emrys ap Iwan 1851-1906' oherwydd nid yw'n gywir! Nid dyma lle ganwyd o ac mae'r dyddiad hefyd yn anghywir. Dibynnodd TGJ ar Ann, chwaer Emrys, am ei ffeithiau a chael ei gamarwain oherwydd ei bod hi wedi celu oddi wrth ei gŵr, Peter Jones, ei bod hi bymtheg mlynedd yn hŷn nag o. Ystumiodd hanes y teulu er mwyn cadw'i chyfrinach. Os mai fis Mawrth 1851 y ganwyd Robert Jones (a rhoi iddo ei enw bedydd, ŵyr neb o ble y daeth yr Ambrose), yna fe ddylai fod yn wythnos oed yng nghyfrifiad 1851. Yn ôl hwnnw yr oedd yn dair oed. Ac nid ym Mryn Aber yr oedd y teulu, eithr yn Fforddlas. Ni chodwyd Bryn Aber tan 1859. Mae llawer o bwyslais hefyd wedi cael ei roi ar ddiddordeb Emrys yn yr iaith Ffrangeg a hynny, yn ôl TGJ, oherwydd mai Ffrances oedd ei nain. Ond yn ôl cofrestri plwy Llanddulas, Margaret Coates oedd enw ei nain. Saesnes oedd hi.

Cael y car yn ôl. Yfed gwin yn yr ardd a siarad tan hanner nos a hithe'n gynnes gynnes. Jonsi yn gorwedd yn y pridd, ei phedair coes ar led yn y gwres.

Awst 6

Aethom am daith i'r gorffennol heddiw, Helen a fi. Heibio capel Cefn-y-wern gyntaf, yr hen gapel sinc sydd newydd gau am byth. Cafodd ei agor yn 1909 ac ymysg yr aelodau cyntaf yr oedd Hugh a Mary Hughes, Bryntangor, ein hen daid a nain. Tybed beth sydd yn mynd i ddigwydd i'r creiriau – y seti hefo'r ffelt coch arnyn nhw, y cloc, y gofeb bres ar y wal i gofio mab Cefn Griolen laddwyd yn y Rhyfel Mawr. Yma y gwelais Santa Clôs am y tro cyntaf a chredu ynddo o eigion f'enaid er fy mod yn methu deall pam mai llais Gomer Roberts y Cefn oedd ganddo. Yma hefyd y dysges i ddarllen.

Troi i'r chwith wrth y capel, heibio Blaen y Cwm (lle syrthiodd Mrs Davies, Nant, a streifio'i throed), heibio Llyn y Cwm (lle collodd Nain ei gwydde wrth eu cerdded o'r Glyn Mawr, Derwen, i'r Cae Du, Bryneglwys), heibio Cornel y Sipsiwn (ac un ohonyn nhw'n dwyn y Fedal Canmlwyddiant yr Ysgol Sul a gefais gan Nain) ac at Giât y Mynydd. Y stand llaeth wedi diflannu. Y gamfa i'r Gwrych Bedw wedi mynd. Y giât wedi'i chadwyno. Dringo drosti a sefyll ar Ffordd fy Nhad. Erstalwm pan oedd y byd yn ifanc nid oedd yma ffordd, dim ond llwybr defaid ar draws y mynydd o Gefnmaen-llwyd, tŷ ni, i'r byd mawr tu allan. Aeth Nhad ati i wneud ffordd yn y dull Rhufeinig: cloddiodd ffosydd bob ochr a'u llenwi hefo meini a cherrig, a thaenu haen drwchus o raean drostynt. O hynny ymlaen gellid gyrru tractor a char modur ar hyd Mynydd y Cwm. Ymledai'r ffordd yn glaerwyn o'n blaen a'r glaswellt yn drwch ar hyd ei chanol. Neb yn gyrru hyd-ddi na'i cherdded bellach. Aeth hanner can mlynedd heibio er pan fu Nhad yn chwysu yn y fan yma. Roedd Parry-Williams yn iawn pan soniodd am ddrychiolaethau yn llenwi'r lle. Roedden nhw yno heddiw.

Rhyfeddu at yr olygfa. Ddaru ni rioed sylwi o'r blaen ond o'n blaene yr oedd Moel Morfydd yn biws a'r Waren Wningod yn symudliw yn y tes. Cerdded gan deimlo fel gweiddi haleliwia, fel beichio crio, fel troi ar fy sawdl i gael gwared o'r ysbrydion, sŵn plant, llais Mam, llusgo traed wrth gerdded adre o'r ysgol Sul dan ddarllen *Cymru'r Plant* a'r *Drysorfa Fach*.

Ymlwybro at y boncyn. Gwawch o fraw pan lamodd sgwarnog o'i gwâl wrth ein traed. Gweld simneau uchel yr hen gartref a gwybod na fedrwn ddioddef mynd yn nes gan nad mwg Mam oedd yno. Ond dacw Lyn Domwy! Mor fach! Ond yn gymanfa o adar – hwyaid gwyllt gan fwyaf. Ar y llecyn hwn, ar yr union lathen hon o ddaear, y gwelodd Gwyneth, yr Oror, a Helen a fi ddafad farw, ei llygaid fel crabas a'r düwch melfed o gwmpas ei thrwyn yn ysfa o gynrhon. Ni chofiaf pwy roddodd bwt iddi hefo darn o bric ond mi brofwyd inni y dwthwn hwnnw wiried y dywediad mai'r drewdod mwyaf dychrynllyd ar wyneb daear yw rhech dafad farw. Roedd y drewdod yn weledol, mor anhygoel o annioddefol fel y bu rhaid inni garlamu am hanner milltir o'i afael cyn medru cael ein gwynt atom.

Awst 7

Diwrnod llawn a phrysur. Siarad yn y Babell Lên bore gan ei bod yn dathlu ei phen-blwydd yn 75 oed. Y ddau siaradwr arall oedd Mari Roberts (chwaer Gwyndaf) a W. J. Edwards. Mae yma babell newydd eleni. Wedyn, ffilmio darn ar gyfer rhaglen heno a sôn sut le oedd yn y Babell yn yr hen ddyddie. Er cymaint ein hatgofion cynnes, lle digon anghyfforddus oedd yno mewn gwirionedd. Yn wlyb dan draed, unrhyw wynt yn achosi i adenydd y babell fflapio fel adenydd clagwydd a'r cadeiriau bregus yn torri tanoch heb sôn am ladro sane (nid oedd 'merched neis' yn gwisgo trowsus yr adeg honno) a wedyn heno ar *Tocyn Wythnos* hefo Geraint Lewis, John Ogwen, yr Archdderwydd John Gwilym ac Aled Gwyn. Aled enillodd y Goron a'i frawd yn ei goroni. Seremoni emosiynol am ddau reswm oherwydd cerdd i gofio am ei wyres fach, Gwenan Haf fu farw yn 5 oed, sydd gan Aled. Côr Rhuthun yn curo Caerdydd!

Awst 8

Guto, mab Dan Puw, 'Styllen', yn ennill Tlws y Cerddor. Cyw o frid. Beryl Stafford Williams yn cael Gwobr Goffa Daniel Owen. Mae hi'n un o ddisgynyddion Thomas Griffiths y cofrestrydd, oedd yn byw yn Stanley House dafliad carreg o'r fan hon. Yr oedd Lizzie a Maggie, dwy o ferched Stanley House, wedi priodi Syr Hubert von Herkomer, arlunydd nodedig, cynllunydd dillad yr Orsedd a gwisg yr Archdderwydd.

Helen wedi bod â'i hŵyr, Lewis ddeunaw mis oed, i weld o ble y daeth ei nain. Cael ein synnu gan athrylith meddwl plentyn bach. Mae o'n cael ei fagu yn Lloegr ond ei nain yn siarad Cymraeg hefo fo. Pan welodd allwedd y tŷ yn llaw ei nain dyma fo'n pwyntio a dweud 'Doggie'. Pendroni am dipyn ac yna sylweddoli: key = ci = doggie.

Awst 9
Angharad, merch Gwyn a Lisa, yn ennill y Fedal Ryddiaith. Y ddau wedi gwironi'n lân. Dafydd Rowlands ydy'r Archdderwydd newydd. Llais llesmeiriol ganddo. Galw'r Steddfod hon yn Ŵyl yr Hetie: oherwydd ei bod mor boeth mae hetie o bob math yn gweld gole dydd a llawer hen het wedi gweld dyddie gwell mewn llawer cynhaeaf ar lawr Dyffryn Clwyd. Neu mi ellid ei galw yn Ŵyl y Coese gan fod nifer o'r dynion wedi lluchio'u trowsuse ac ni welwyd cymaint o grimoge noeth yr ochr yma i'r Riviera. A'r fath amrywiaeth. Rhys Jones yn berchen pâr brown siapus dros ben ac mi fydde llawer o sêr y sgrin yn barod i ffeirio coese hefo Eifion Lloyd Jones. Un arall dienw â choese megis map o rasys Ynys Manaw. Golygfa gofiadwy oedd honno o ddyn mawr tew a dyn bach tew yn cael sgwrs felys wrth y lle te – Ronw James yn trafod teirw a D. Elwyn Jones yn trafod cathod, mae'n debyg.

Awst 10
Y Cymry Alltud yn cael eu harwain gan Roy Watterson o Awstralia a'i Gymraeg yn pefrio. Dysgodd yr iaith pan gafodd ei anfon i Lansannan fel efaciwî o Lerpwl. Y ddau Kinnock ar y Maes heddiw.

Awst 11
Achlysur cofiadwy arall – yr Archdderwydd yn cadeirio Tudur Dylan, sef ei fab! Ei gyflwyno fel hyn: 'Nid wyf yn cofio union ddydd ei eni – ond roeddwn i yno.' Ein Hysgrifennydd Gwladol newydd, William Hague, yn y pafiliwn a dywedodd ym mhabell y wasg ei fod wedi cael ei wefreiddio gan y seremoni. Merch Emyr Jenkins yw ei ysgrifenyddes.

Awst 12

Ar y radio bore yn trafod y pwnc llosg: a oes angen bar ar y Maes. Mi ddaw. Sicred. Shan Cothi yn ennill y Rhuban Glas. Bu'n Steddfod wych ond mae hi drosodd. Aeth Helen a'i theulu adre. Y teliffon ddim yn gweithio. Fy nheipiadur yn dal yn wael. Biliau'n cyrraedd. A glaw.

Awst 17

Shôn Dwyryd a fi wedi bod yn methu dallt pam mae'r englyn buddugol yn y *Cyfansoddiadau* yn anghywir. Gweld eglurhad yn *Golwg* heddiw: llinellau 2 a 4 wedi cael eu hargraffu yn y drefn anghywir! Yr haf poethaf ers 1666, medden nhw. Mae'n rhy boeth i wneud dim heblaw eistedd dan ambarél yn yr ardd am hanner nos yn yfed gwin . . .

Medi 1

Yn eglwys Sant Silyn yn Wrecsam heddiw yn angladd Stewart Blackwell, un o sefydlwyr Cymdeithas Hanes Teuluoedd Clwyd, dyn deallus a bonheddwr o'r iawn ryw. Yr eglwys yn llawn ac yn bresennol roedd Syr Frederick Rosier, ei frawd yng nghyfraith, brodor o Wrecsam ac un o'r peilotiaid fu'n ymladd ym Mrwydr Prydain 1941.

Medi 16

Diwrnod diddorol! Aduniad Ysgol Ramadeg y Merched, y Bala, o'r 40au ymlaen. Mynd yn y car hefo Mona (Griffiths), Joan (Yaxley), Beti Wyn (Llanuwch-llyn) a chael bwyd yn Neuadd y Cyfnod. Mona a fi oedd y babis! Roedd Carys Post yno a Nest Nant Erw Haidd, Ann Nant-gau ac Anwen Maerdy Bach, Myfanwy, Ty'n y ffordd a Meri Rhiannon, Sylwen (*Y Wawr*), Meg Gelli Grin a nifer o rai na welais ers cantoedd. Sôn am siarad. Teimlo bod ysbrydion o gwmpas y lle, ystafell Miss Pritchard wedi cael ei throi yn theatr. Cyfrifiaduron ym mhob stafell. 'Hen Satan oedd Dorothy

Jones,' medde Margaret Llain Wen y tu allan i'r fan lle roedd y Brifathrawes yn arfer llercian. 'Roedd hi'n fodryb i mi,' medde rhyw ddynes enfawr y tu ôl inni. Pwy fase'n meddwl bod Cwac yn fodryb i neb. Yr unig athrawes yn yr aduniad oedd Glenys, ein hathrawes Gymraeg a fu'n gryn ddylanwad arnaf i. Priododd Jones Chem ac aeth y ddau i Lanfyllin.

Hydref 4

Prynu copi o Eiriadur yr Academi. Gwaith ugain mlynedd Bruce Griffiths a Dafydd Glyn Jones ac mae'n edrych yn wych. Mae'n wir ei fod yn fawr ac yn dda i ddim yn y gwely, ac roedd angen berfa i'w gludo adre o siop Elfair, ar draws y Sgwâr, i lawr Stryd y Ffynnon ac i fyny i Erw Goch. Gan fod y diwydiant cyfieithu yn tyfu fel madarch mae gwir angen am y geiriadur newydd hwn. Bydd cyfieithwyr blinedig sydd yn ymgodymu hefo dogfenne cyfreithiol a gweinyddol a geirie anodd eu cyfieithu megis *provide, deliver* ac *involve* – yn diolch i'r nefoedd am y gyfrol hon.

Mae'r iaith Saesneg mor ddi-ben-draw o oludog a geirie newydd yn cael eu bathu'n ddyddiol fel eu bod hwythe hefyd yn gorfod cael geiriaduron newydd yn gyson. Fedrwn ni ddim fforddio hynny yn y Gymraeg a bydd rhaid aros am ailargraffiad ymhen hir a hwyr i gynnwys cyfieithiad o bethau fel *dreadlocks, yardie* a *wannabee*. Onid yw *wannabee* yn air ysbrydoledig ac yn un amhosib i'w gyfieithu? Er ein bod yn mynych gwyno am y Saesneg, mae ynddi athrylith. Rwyf yn hoffi'r gair *mugwump,* er enghraifft. Rhywun sydd yn eistedd ar y ffens gyda'i fyg ar un ochr a'i wymp yr ochr arall. Nid yw 'dyn canol y ffordd' yn mynegi'r un peth o gwbl; un rhwng dau feddwl ac yn chwarae'n saff yw mygwymp ac mae Cymru yn llawn mygwympau.

Mae pobl cefn gwlad yn medru cael gweledigaeth yn awr ac yn y man. Dene i chi 'tarw potel'. Mae 'teledu' wedi hen gynefino. Ond ar ddisberod yr aeth 'perdoneg' a 'cherbydres'. Ac nid wyf yn synnu dim. Gobeithio na chawn ni byth eto weld cyfieithiad a ddaeth o ddesg rhywun yn y Neuadd y Sir a gyfieithodd 'morale is low' yn 'moesau isel'.

Hydref 15

Mae Shôn ac Eirlys wedi mynd i'r Almaen hefo Côr Llanddulas a phan aeth Cliff i fyny bore i fwydo Pwtan y Gath, ei chanfod wedi marw yn y gwrych ac fe fu rhaid iddo'i chladdu yn yr ardd. Yr oedd Pwtan yn 23 oed ac nid yw Elin erioed wedi byw hebddi.

Hydref 17

Daeth Shôn ac Eirlys adre ac eisiau gwybod beth ddigwyddodd. Yr oedd rhyw hen geg wedi'u ffonio yn Bremen i dorri'r newydd drwg iddyn nhw. Mae ar rai pobl eisiau rhywbeth i'w wneud.

Hydref 19

Rocyn-Jones, a adwaenwn yn Llundain, yn y ganolfan achau yn Stryd Mwrog yn chwilio am ei nain, Jane Evans, a anwyd yn Rhuthun yn yr 1790au. Roedd hi hefyd yn nain i'r Barnwr Charles Evans Hughes, Efrog Newydd. Ei ferch Elizabeth gafodd y chwistrelliad cyntaf erioed o insiwlin.

Hydref 31

Codi am 4 y bore i ddal bws mini a hedfan o Fanceinion i Heathrow. Cyrraedd Lisbon ddechre'r pnawn ac yr oedd Lesley a Ben yn y maes awyr yn ein cyfarfod a chawsom de ar long y *Sagafjord*. Ben yn crio wrth orfod gadael y llong am ei fod yn meddwl ei fod yn cael dod hefo ni. Gadael Lisbon am 5 y pnawn a dod o hyd i'n ffrindie Pam a Colin yn y parti ar y dec. Gobeithio y bydd Jonsi yn iawn. Pan welodd y cesys yn dod i lawr o'r daflod mi fonodd. Yncl Shôn Dwyryd fydd yn edrych ar ei ôl ac mi wn y bydd y ddau'n sgwrsio fel hen gant.

Tachwedd 1
Cyrraedd Cadiz, y ddinas hynaf ar benrhyn Iberia. Dywedir mai Hercules a'i sefydlodd. O'r fan hyn yr hwyliodd yr Armada yn 1588 a bu Nelson yn anrheithio yma hefyd. Yn anffodus mae hi'n Ŵyl yr Holl Seintiau a phopeth wedi cau. Cofgolofne i filwyr ym mhob man. Gwlad ryfelgar. Ond ddim mwy na'r Saeson.

Tachwedd 2
Brecwast yn yr haul a rhyfeddu at lyfnder y môr. Siarad yn rhy fuan. Andros o storm ganol nos. Popeth yn fflio o gwmpas y caban a gwydrau'n malu. Cysgais i sŵn rhythm di-bwm di-bwm wrth i botel o jin rowlio o un ochr y caban i'r llall. Roedd fel cysgu ar gefn morfil.

Tachwedd 3
Methu glanio ym Marseilles gan nad oeddym wedi symud digon yn ystod y nos o achos y storm. Clywed bod un dyn wedi syrthio allan o'r gwely a thorri ei glun. Amser cinio daeth ton enfawr sydyn ac aeth y byrdde i gyd drosodd, a'r llestri a'r bwyd i gyd ar lawr. Cefais lond sgert o gawl a menyn a chyllyll a ffyrc. Digwyddodd eilwaith ar ôl i bopeth gael ei ailhulio. Aeth neb i ginio heno, ddim hyd yn oed y capten. Y capten ar yr uchelseinydd yn dweud wrthym am gadw ein llygaid ar y gorwel, y bydde hynny'n help. Nag oedd. Roedd y gorwel yn ŵyl symudol, un funud yn codi a chodi a'r munud nesaf yn plymio ac yn diflannu rywle i grombil yr eigion gan fynd â'n stumoge i'w ganlyn.

Tachwedd 4
Cyrraedd Civitivecchia a mynd i Rufain, ac wedi taith i weld y rhyfeddodau cawsom fancwet ym Mhalas Brancaccio a godwyd gan y Dywysoges Elisabeth a'r Tywysog Salvatore Brancaccio. Fe saif ar fryn Colle Oppio, un o saith bryn

Rhufain, nid nepell o'r fan lle bu Nero'n araf wallgofi. Mae gan bawb ei ddelwedd ei hun o Rufain: dinas Iŵl Cesar i rai, y Pab i eraill. Ond am Garadog yr oeddwn i'n meddwl ac am yr hanesyn a glywais yn yr ysgol gynradd yng Ngwyddelwern am arwr mawr y Cymry'n cael ei gipio gan y Rhufeiniaid ac yn gwrthod plygu glin i'r Cesar gan fynnu ei fod yn gyfartal ag o. Gwn yn union lle roeddwn pan ddarllenais hanes Caradog: ar y Boncyn Eithin hefo Dwni'r gath, a chael fy swyno'n lân. Freuddwydiais i ddim y cawn weld y ddinas lle cafodd ei garcharu!

Mae rhyfeddodau Rhufain yn ddiddiwedd: y Grisiau Sbaenaidd a gynlluniwyd gan Michelangelo sydd yn esgyn i Eglwys y Trinita del Monti – grisiau gosgeiddig perffaith fel rhyw ffan fawr yn agor allan. Byddaf bob amser yn cyffwrdd cerrig. Mae cerrig mor hen, mor berffaith, mor farw; maent yn oer, yn gynnes, yn fud. Gallaf ddeall pam roedd rhai o'n cyndeidiau'n addoli cerrig a meini gan fy mod yn teimlo bod yna fywyd y tu mewn iddyn nhw a lleisiau'r gorffennol wedi'u carcharu o'u mewn. Wrth gyffwrdd hen bileri Rhufain roeddwn yn cael fy nghysylltu â rhyw ddolen hynafol iawn.

Ac yn y bancwet, i gyfeiliant cerddorfa fechan mewn dillad baróc, cawsom wledd. Mewn ystafell a gynlluniwyd gan Francesco Gai, medden nhw wrthym. Rioed wedi clywed amdano. Ac Americanwr cyfoethog wrth f'ochr. Un o Florida oedd yn mynd ar fordaith bleser deirgwaith y flwyddyn ers ugain mlynedd. Wedi bod ym mhobman ac wedi gweld popeth. Roedd yn gyfoethog iawn. Roedd yn ddeallus iawn. Roedd yn olygus iawn. A hefyd yn hoyw iawn.

Tachwedd 5

Gan fod nifer o Iddewon o America ar y llong bu cryn rincian dannedd heddiw pan glywsom fod Yitzak Rabin, prif weinidog Israel, wedi cael ei saethu'n farw. Roedd yn heddychwr mawr a chafodd ei saethu gan Iddew ifanc adain dde.

Tachwedd 6

Diwrnod oer yn Sorrento ond tref hyfryd a'r tai fel defaid gwynion ar y bryniau. Rhywun yn dweud ei bod hi'n bwrw eira rywle yn Ewrop. Mae Moscow yn Ewrop. Criw'r llong yn rhoi 'noson lawen' inni heno, pymtheg gwlad yn cael eu cynrychioli a gwelais un yn chwifio'r Ddraig Goch. Rhaid oedd mynd i ddweud helô. Ian Davies o Fangor, un o hen blant Ysgol Tryfan. Saeson yn gofyn pa iaith oeddym yn ei siarad. Am hanner nos, hwylio heibio Stromboli ac mi welem driongl du yn codi o'r môr ac yn sydyn poerodd i'r awyr – fflamau llosg a brwmstan yn gochddu a phiwswyrdd yn goleuo'r nos.

Tachwedd 7

Tonnau carlamus. Nifer yn aros yn eu gwely. Comedïwr da iawn o Iwerddon yn y cabare heno. Sôn am y dyn aeth at y meddyg yn cwyno bod ei glyw wedi mynd yn ddrwg, a'r meddyg yn dweud nad oedd yn synnu. 'Mae gennych chi *suppository* yn eich clust,' meddai. 'O,' ebe'r dyn, 'rydw i'n sylweddoli rŵan beth wnes i hefo'r *hearing aid*.'

Tachwedd 10

Glanio ym Malta a mynd am dro mewn tacsi hefo Pam a Colin, a'r gyrrwr yn canmol y Saeson. Lloegr oedd wedi'u helpu adeg y Rhyfel. Cliff a Colin yn dweud eu bod hwythe – Gymry – hefyd wedi bod yn rhan o'r ymdrech. Y gyrrwr yn wfftio. Na, y Saeson oedd yr arwyr. Chafodd o ddim cildwrn. Yn ôl y sôn, bu trigolion yr ynys yn ddewr iawn a chyflwynwyd Croes San Siôr iddyn nhw. Malta GC yw enw llawn yr ynys. I ddarllenwyr y Beibl, Melita ydyw a chafodd Paul longddrylliad yma yn y fan a elwir heddiw yn Fae Sant

Paul. Mae ganddyn nhw eu hiaith eu hunain ond mae'n prysur ddiflannu dan rym yr Eidaleg. Sylwi bod yna Stryd John Lennon yn Valetta.

Tachwedd 11

Parti heno i ddatlu pen-blwydd Cliff. Mae o mewn cryn dipyn o boen hefo'i goes. Diwrnod y cadoediad hefyd, ac aeth Cliff a Colin i'r derbyniad oedd yn cael ei gynnal ar yr hyn a elwid yn Veterans' Day ac roedd llond y lle o Americanwyr yn brolio mai nhw enillodd y Rhyfel. Wedi sarhad y gyrrwr yn Melita roedd hyn yn ormod o bwdin i'r ddau Gymro!

Tachwedd 13

Pam yn bwydo miloedd – wel cannoedd – o gathod yn Toremolinos. Roeddynt yn hanner llwgu ac yn byw mewn tyllau yn y morglawdd. Roeddwn bron marw eisiau rhoi o-bach iddyn nhw ond roedd pob un a'i choes yn yr awyr yn crafu a'u llyged yn rhedeg . . .

Tachwedd 19

Adre ers rhai dyddie a Ben ar y ffôn. 'Ym mha ran o'r byd yma wyt ti heddiw, Nain?' Wedi derbyn cerdyn o bob porthladd y buom ynddo! Mae Cliff mewn poen mawr hefo'i goes a'r meddyg yn rhoi eli iddo a dweud ei fod wedi'i streifio. Ond rydym ni'n meddwl bod arno angen clun newydd. 23 miliwn yn gwylio *Panorama* heno a Diana yn siarad am awr am ei threialon a'i gofid ac yn dweud bod ganddi elynion yn y Palas, bod yna dri yn ei phriodas.

Tachwedd 29

I Rydonnen i weld cŵn a chathod Ben – nid oedd yn bosib iddyn nhw fynd i fyw i Lisbon, er mawr alar iddo. Mae

Bracken y sbaniel wedi mynd i fyw i Gilgwri ac mae'r gath Mary Mew yn hiraethu gan ei bod bob amser yn cysgu ar gefn Bracken. Ffion yn ugain oed heddiw ac ar fin gadael y nyth a mynd i'r ganolfan sgio yn Serre Chevalier i weithio. Siân Alwen a'i phen yn ei phlu am fod ffured Ioan wedi bwyta Rodney'r gwningen. Roedd Rodney mewn bwthyn gwifren yn y berllan ac fe duriodd y ffured o dan y ddaear ac i mewn. Dim ond pen Rodney oedd ar ôl.

Rhagfyr 19

Gloria ar y ffôn o Lunden i ddweud bod Alan wedi marw ddoe. Y tro olaf inni ei weld oedd Ebrill 29 pan glywsom ei fod yn dioddef o glefyd Gaucher. Ffrind da inni. Gwilym Owen eisiau i mi fynd ar y rhaglen *Manylu* ddydd Iau ac Arfon Gwilym eisiau i mi fynd ar *Tynnu Blewyn* ddydd Gwener, ac yna'r ddau yn ffonio yn ôl i ganslo gan eu bod wedi clywed fy mod ar y *Silff Lyfrau* ddydd Mercher!

1996
Mynd i'r Gwrych

Ionawr 26
Galwad sydyn i fynd ar banel *Pawb a'i Farn* ym Methesda gan fod Nic Parri wedi gorfod tynnu'n ôl – ei fam Ceinwen yn wael iawn. Ar y panel hefo Angharad Tomos a Betty Williams. Cawsom gwestiynau ar hawl Harriet Harman i anfon ei mab i ysgol ramadeg; pam nad yw merched yn cael swyddi bras, a gyda pwy yr hoffem dreulio gŵyl Santes Dwynwen. Huw Edwards oedd yn llywio a phan ddywedais Hywel Teifi roedd yn gegrwth am unwaith.

Tipyn bach mwy o amser i mi fy hun rŵan – wedi gorffen y dosbarthiadau Hel Achau yn Llysfasi ac yn Llanrhaeadr YC. Wedi mwynhau ond nid wyf yn mynd i wneud chwaneg. Gormod o drafferth yn ceisio cael tâl – maent yn mynd â threth incwm a stamp insiwrans a minne ddim yn talu yr un o'r ddau. Gwn y bydd trafferth wrth geisio cael y pres yn ôl.

Chwefror 4
Mae Towyn Roberts wedi marw yn 89 oed. Roedd o'n byw yn Llangefni ers peth amser ond ym Mhlas Isa, Llanbedr DC, ac ym Mryn Rhudd, Rhuthun y bu cyn hynny. Cael tipyn o'i gwmni ambell nos Sadwrn o gwmpas y piano. Gŵr bonheddig a chanddo lais gwych. Yn Eisteddfod Machynlleth y cyfarfûm ag o gyntaf a rhoddodd dipyn o fraw i mi oherwydd pan welodd fi, mi dorrodd i lawr. Fy ngweld yn debyg i Violet, medde fo. Y gwallt coch. Gwallt coch teulu Tyddyn Ucha, Llanelidan, ac roedd mam Violet yn gyfnither i Nhaid, felly roedd y gwallt coch wedi teithio drwy ambell genhedlaeth. (Byddai Yncl Willie 'Timber

Jones', brawd fy nhaid, yn cwyno bod 'y genhedleth nesa 'ma wedi mynd yn bob lliw, wir'.) Enillodd Violet y Fedal Aur am ganu yn Eisteddfod Genedlaethol Dinbych 1939 a thoc wedyn torrodd y Rhyfel allan a daeth ei gobaith am yrfa gerddorol i ben.

Er cof am ei annwyl Violet rhoddodd Towyn swm sylweddol o arian i'r Eisteddfod Genedlaethol i sefydlu ysgoloriaeth flynyddol i gantorion ifanc. Ymhlith yr enillwyr y mae Bryn Terfel. Roedd gan Towyn feddwl y byd o'i gantorion. Y tro olaf i mi ei weld oedd yn Eistedfdfod Abergele fis Awst ar bwys ei ffon, ei lygaid yn llawn direidi fel arfer. 'Sut mae'r hen gath?' oedd ei gwestiwn cyntaf. 'Yn cofio atoch chi,' atebais. Mi chwarddodd dros y lle. Bydd ei gladdedigaeth ar y 10fed a fedraf i ddim mynd.

Chwefror 10

Yng Nghaer heddiw ym mhriodas Carys, merch fy nghyfnither Ella. Gwasanaeth dwyieithog yng nghapel Stryd Sant Ioan, Caer a'r wledd yng ngwesty Dewi Sant yn Ewloe. Un o'r morynion priodas oedd Lowri Kemp, merch fy hen ffrind coleg, Alwen o Lyn Ceiriog. Rhannu bwrdd hefo hen gyfeillion, Bethan Bennet ac Anne Jennett, ac atgoffa Bethan am yr hwyl gawsom yn codi pabell yn ei gardd gefn yn Nhregaron adeg Eisteddfod yr Urdd Llanbedr Pont Steffan 1959 gan beri penbleth fawr i'w thad, oedd yn methu deall beth oedd yr holl sŵn. Ei enw oedd David Lloyd Jenkins ac yr oedd yn brifathro Ysgol Ramadeg Tregaron ar y pryd; ef oedd bardd cadeiriol Llandybïe 1944.

Chwefror 11

Gweld yn y papur fod Mary Quant yn 62 oed heddiw. Anodd credu! I feddwl fy mod yn cofio'i siop gyntaf yn agor yn Chelsea ac fel y gosodwn fy nhrwyn ar y ffenest a chwenychu ei dillad heb obaith eu cael. Dyddiau cyffrous oedd y rheiny ac roedd cael bod yn ifanc yn y Swinging Sixties yn brofiad i'w drysori – crwydro Carnaby Street ac ati. Mae'r rheiny ohonom a gafodd y fath hwyl yn ifanc yn ei chael yn llawer mwy anodd cynefino â heneiddio. Neu dyna fy marn. Teimlo fel sgrechian 'Stop' wrth y byd.

Chwefror 16

Plygu'r *Bedol* yn ysgol Pen Barras a chlywed am farwolaeth Iorwerth Jones y Gwndir yn 91 oed. Un o hen gymdogion fy nhad. Cofiaf fel y byddai'n llenwi ei gar â phlant y tu allan i gapel Cefn-y-wern a'n tywallt ni allan bob yn beth ar y ffordd adre. Roedd pedwar ohonom ni ac yr oedd ganddo ynte bedwar. Heb sôn am blant rhywun arall fel sardîns yn y sêt gefn. Dyna dalp o mhlentyndod i wedi mynd.

Chwefror 19

Trychineb yn Aberdaugleddau. Llong olew y *Sea Empress* (perthyn i Norwy, baner Liberia, capten o Rwsia) wedi mynd ar y creigiau ac erbyn hyn mae miloedd ar filoedd o dunelli o olew trwchus gwenwynig wedi arllwys i'r môr. Traethau sir Benfro o dan warchae ac adar a morloi a phlanhigion yn cael eu llofruddio. Pe bai hyn wedi digwydd ar un o draethau Lloegr mi fyddai'r Frenhines a'r Prif Weinidog yno chwap. Be 'di'r ots am Gymru? Dim ond cilcyn o dir yden ni.

Chwefror 21

Methu credu wrth weld llythyr gan Geraint Talfan Davies yn *Y Cymro* yn ymosod arnaf. Ac yn annoeth iawn yn datgelu rhywbeth a ddywedwyd mewn cyfweliad am swydd golygydd Radio Cymru ac wedi llusgo'r *Faner* i mewn i'r potes (mae honno wedi mynd ers pedair blynedd). Yr argraff a geir yw mai llythyr wedi'i sgwennu gan bwyllgor ydy o a rhoi enw'r pennaeth ar y gwaelod. Byrdwn y llith yw nad fy mhlesio i yw swydd y golygydd newydd! Wel dene syrpréis . . .

Mawrth 13
Cyflafan yn Dunblane. Gwallgofddyn o'r enw Thomas Hamilton wedi cerdded i mewn i'r ysgol a saethu 16 o blant ac athrawes yn farw. Allan o ddosbarth o 29 o blant 5/6 oed, dim ond un oedd yn ddianaf.

Mawrth 14
Mae Dewi Bebb wedi marw. Dim ond 57 oed. Un o saith o blant Ambrose ac Eluned Bebb. Chwaraeodd rygbi dros Gymru, un o'r ychydig rai o ogledd Cymru wnaeth hynny. Yn ei ddyddiaduron mae ei dad yn yn cyfeirio ato fel 'Dewi bach benfelyn'.

Ebrill 23
Diwrnod bythgofiadwy o frawychus. Cael fy ngwers yrru car gyntaf. Dwy awr o dyndra a dal fy ngwynt. Wedi gofyn am gael peidio â mynd ar y ffordd fawr i ddechre ond wrandawodd hi ddim ac mi fu raid i mi fynd o Menlli Products, drwy'r Rhewl, heibio Bachymbyd Bends, drwy Lanrhaeadr, rowndabowt i gyfeiriad Llandyrnog, i Fodffari, allan i'r briffordd ac yn ôl i Ddinbych ac am adre. Hunllef llwyr. Fedraf i yn fy myw gofio pa ochr i'r ffordd wyf i fod. Pan gafodd yr hanes mi chwarddodd Buddug yn uchel am hanner awr . . .

Ebrill 30
Yr ail wers ddreifio. Digalonni'n arw. Wedi meddwl y byddai'n well y tro hwn. Nag oedd. Mynd o'r ocsiwn i Ddinbych, heibio Lleweni i Fodffari, drwy Landyrnog ac i fuarth Rhydonnen i ddangos fy hun. Neb adre. Rifyrsio gan hyderu nad oedd na chi na chath (na buwch) y tu ôl i mi.

Adre drwy Lanychan a 'nghalon yn fy ngwddf a gweld car yn dod i fy nghyfarfod yn achosi panic llwyr.

Mai 2

O'r diwedd cafodd Cliff sgan yn ysbyty Glan Clwyd; mae o wedi bod mewn poen am fisoedd.

Mai 3

Y rhifyn diweddaraf o'r *London Welshman* yn cyrraedd (sef y papur bro cyntaf!). Yr hen Jo Harvey druan wedi marw. Nid oedd dafn o waed Cymreig ynddo ond ni fu ei ffyddlonach. Dysgodd Gymraeg, bu'n aelod o'r Aelwyd a'r cwmni drama a hefo'r Bedyddwyr yn Castle Street, 'Capel Lloyd George'. Bu'n mynd i'r Eisteddfod Genedlaethol yn ddi-ffael am ddeugain mlynedd, a byddai ef a Doris yn y pafiliwn o fore gwyn tan nos hefo'u fflasgiau a'u brechdanau, y ddau fel delwau. Gwisgai syrcyn a dwy wasgod, haf a gaeaf, ac yr oedd ei wyneb gwelw a'i ffordd o ynganu'r Gymraeg yn gwneud i bobl chwerthin am ei ben. Ond cymeriad cwbl ddiffuant. Byddai'n anfon cerdyn pen-blwydd i mi yn rheolaidd a'i arwyddo â'i enw llawn – Joseph Philemon Harvey. Buom ni griw ifanc yn greulon iawn tuag ato lawer gwaith wrth chwerthin am ei ben ond dyna benyd bod yn ifanc: mae'n gwneud rhywun yn ddifeddwl yn aml iawn.

Mai 4

A heddiw, agor y papur a gweld bod un arall o gymeriade Cymry Llundain wedi marw ar Galan Mai. Roedd Peggy Miller yn actores ardderchog, yn arbennig mewn rhannau hwyliog a chomedi. Byddai'n gallu chwerthin yn aflywodraethus yn ôl y galw. Bu'n weddw am flynyddoedd – roedd ei gŵr Edward yn Sais o'r Saeson ac yn gweithio yn yr Amgueddfa Brydeinig ac yn awdur cyfrol safonol am sefydlydd yr amgueddfa. Roedd Peggy yn ferch i David

Richards, organydd capel King's Cross ac awdur y gân 'Cymru Fach', y wlad sydd 'ddim yn fawr ond yn ddigon i lenwi fy nghalon'.

Mai 5

Mwy o atgofion Llunden wrth wrando ar Pauline Quirke ar *Desert Island Discs*. Hi ydy'r dewaf o'r ddwy ar *Birds of a Feather*. Mae hi'n un o nghyn-ddisgyblion. Ac un drafferthus oedd hi hefyd. Cofiaf iddi fy ngalw yn hen fuwch a dymuno arnaf i gau fy ngheg. A dyma hi'n enwog ac yn gyfoethog. Does dim tegwch yn y byd, meddaf rhwng ochneidiau wrth weld y bil nwy.

Mai 14

Trydedd wers heddiw. Annaearol o erchyll. Wedi bod fel claf o'r parlys ar ôl y wers ddiwethaf. Heddiw, tanciau llaeth ar fy nghynffon yn canu corn ac ysgyrnygu am fy mod yn mynd fel malwen mewn trans. Mynd rownd y stad ddiwydiannol yn y dre gan feddwl cael tipyn o heddwch ac amser i ganolbwyntio ond roedd yn brysurach na'r disgwyl. Dod wyneb yn wyneb ac ochr yn ochr â thractorau, loriau, faniau sbwriel, Jacs Codi Baw, ambell ferfa, postman, dwy gath, hen foi yn mynd â chi am dro, pren lelog yn trymlwytho i'r ffordd a'm Modryb Catherine gegagored yn mynd â llwyth i'r dymp. O ie, a Buddug yn canu'i chorn a'm styrbio yn lân. Gorffen y wers wedi rhewi a dweud wrth yr hyfforddwr fod hyn yn mynd i fod yn broses hir ac anodd. Hithe'n cytuno a'i throed yn soled ar y brêc deuol.

Mai 21

Gwers arall. Maent yn dod rownd yn rhy aml o lawer. Nabod nifer o bobl dwp sydd yn medru'n iawn. Sut mae disgwyl i fod dynol wneud cymaint o wahanol bethau hefo'i lygaid a'i ddwylo a'i draed ar yr un pryd neu hyd yn oed bob yn ail?

Mynd rownd Crud y Castell yn Ninbych heddiw a cheisio dysgu sut i stopio wrth y lein wen. A sut i beidio mynd ar y pafin. A sut i beidio crwydro o un ochr y ffordd i'r llall. Cofio stori Spike Milligan pan fu o flaen ei well am beidio ag aros wrth linell wen. Meddai wrth Gadeirydd y Fainc: 'Roeddwn yn gyrru'n bwyllog braf ac yn sydyn dyna ddyn yn neidio dros y gwrych ac yn peintio lein wen reit o 'mlaen i a methais arafu mewn pryd, Milud'. Roedd fy lein wen inne'n anwadal hefyd.

Treulio pnawn yn yr archifdy i dawelu'r nerfe a mynd drwy'r papur lleol am 1939. Y newyddion mawr yng Ngwyddelwern oedd bod Mrs Parry'r Foty wedi cael cic gan fuwch a thorri ei choes. Onid oedd hi'n oes bwyllog braf.

Mai 25

Aelodau grŵp WEA Gwynn Matthews yn mynd ar daith. Gweld casgliad llyfrgell yr Wyddgrug o Feiblau Cymraeg, y gorau yn y wlad. Ymweld â'r Eglwys Wen, sydd yn hynod gyfoethog ei chreiriau. Edrych yn arbennig ar gofebau Humphrey Llwyd a Siôn y Bodiau ac yna i eglwys Sant Bened yn y Gyffin. Lle syfrdanol na wyddwn am fodolaeth y peintiadau canoloesol ar y nenfwd bren. Yn fud gan ryfeddod. Pinacl y daith wedyn – ffish-a-chips yn Llandudno cyn mynd i wrando ar yr Athro Fred Inglis yn sôn am Raymond Williams, y Sosialydd mawr o'r Pandy a Rhydychen. Darlithydd huawdl iawn, er nad oeddwn yn cyd-fynd â'i asesiad o'r gwrthrych. Nid wyf yn meddwl ei fod wedi deall ystyr Cymreigrwydd. Diwrnod da.

Mai 31

Y Frenhines yn y Llyfrgell Genedlaethol yn Aberystwyth yn agor estyniad, a myfyrwyr yn protestio'n hallt. Pwy ar y ddaear feddyliodd am ofyn iddi ddod i achlysur mor symbolaidd Gymreig? Gofyn am helynt! Y wasg yn

Llundain yn llawn o'r hanes ond dim gair am Ŵyl ieuenctid fwyaf Ewrop, a mwy o gystadleuwyr nag yn y Gemau Olympaidd yn y Pentrebychan, lle mae Steddfod yr Urdd. Chwedl Mam, 'Felne fydd hi nes newidith pethe.' Dyma ddiwedd mis Mai hynod oer a gwlyb a Cliff yn dal mewn poen ofnadwy. Wedi bod yn goblyn o brysur rhwng popeth – rhoi sgyrsiau i wahanol gymdeithasau, cyfieithu ac ati.

Mehefin 5

I Fangor i ffilmio rhaglen am y Coleg Normal gan fod yr hen goleg yn dod i ben ddiwedd mis nesaf ac yn mynd yn rhan o'r brifysgol. Sefais y tu allan i ffenest Neuadd Aethwy a datgelu am y tro cyntaf sut roeddem yn dianc ar ôl 'goleuade allan' a mynd yn ôl i'r ddawns yn Neuadd PJ ar draws y ffordd. Gan wybod pe baem yn cael ein dal y byddem allan ar ein pennau. A Nhad yn fy nisgwyl adre a gwn yn ei law.

Mehefin 19

Llythyr ffyrnig yn *Y Cymro* yn ymosod arnaf gan Gwynn Pritchard, Pennaeth Rhaglenni Radio Cymru. Yn dweud nad ar gyfer pobl fel fi y mae Radio Cymru yn bod ac mai Jonsi sydd yn mynd â bryd y gwrandawyr. Wedyn, mi gafwyd llythyr yn ochri hefo fi gan Islwyn Ffowc, Merêd, Trefor Williams, Geraint V. Jones, Dafydd Iwan a Dylan Iorwerth.

Mehefin 25

Gwers arall. Nid yw pethe'n gwella dim. Gyrwyr loriau mawr yn gwbl hunanol. I fyny Bwlch Pen Barras heddiw a thrwy Lanferres a Gwernymynydd ac ar hyd ffordd osgoi'r Wyddgrug ac yna drwy'r Wyddgrug ac adre. Hanner ffordd i lawr Bwlch Pen Barras yr oedd yna lorri fawr y tu ôl i mi ac mi fedrwn weld wyneb dirmygus y gyrrwr fel pe bai'n dweud 'Rŵan am roi cythgam o fraw i'r hen wraig wirion yma o 'mlaen i' a dyma fo'n refio ac ar fy nghwt. A chefais y wobl fwyaf ers y Big Bang. Euthum ar fy mhen i'r gwrych. Bu rhaid iddo yntau roi ei droed ar y brêc yn reit sydyn. Y gyrrwr yn chwerthin yn braf a llifeiriant o geir yn canu eu cyrn. Ond dyna ddiwedd ar fy ngyrfa wrth y llyw . . .

Mehefin 28

Diwrnod Gwobrwyo yng Ngholeg Llysfasi a Kate Adie yn wraig wadd, ac yr oedd yn wych. Buasech feddwl mai geiriau mawr megis economeg a gwleidyddiaeth ac elw sydd yn bwysig, o wrando ar ohebwyr y BBC a'r cyfryngau eraill yn mynd drwy eu pethe. Ond meddai Kate, nid yw geiriau mawr felly fawr o werth pan mae hi yn uffern ar y ddaear yn Rwanda, Armenia a Bosnia, y mannau peryglus y bu Kate yn anfon adroddiadau ohonynt yn ôl i'r BBC. Un peth sydd ar feddyliau pawb medde hi, sef sut i aros yn fyw a'r rhai sydd fwyaf tebygol o oroesi yw pobl y wlad oherwydd eu bod yn gwybod sut i dyfu bwyd, sut i hwsmona a thrin y tir a gofalu am eu hanifeiliaid. Y trysor pennaf yw buwch. Unwaith mae'r archfarchnad wedi cael ei bomio, y trydan wedi diffodd, mae pobl yn y trefi ar goll yn lân oherwydd heb drydan ni allant goginio, mae'r lifftiau'n segur ac nid oes siop ar gael. Ond mae unrhyw un sydd yn berchen sgiliau'n debyg o fedru cadw ei hun a'i deulu yn fyw. Hyd yn oed yn ystod y dyddiau mwyaf gwaedlyd yn yr hen Iwgoslafia ni fethwyd â chael rhyw fath o gynhaeaf dan do yn yr ardaloedd gwledig. Ac os medrir dweud 'Diolch byth, mae'r fuwch yn ddiogel' roedd yna obaith. A'i neges hi i fyfyrwyr Llysfasi, ac inni i gyd, buaswn feddwl, oedd bod sgiliau sylfaenol yn bwysig, gwybod sut i drwsio to, sut i odro, sut i dyfu bwyd. Dyna pam ei bod hi mor bwysig gofalu am gefn gwlad ac am ein gwreiddiau. Dau fath o wreiddiau. Yr un peth oedd yn parhau ar waethaf pob caledi yn Armenia a Rwanda a Sarajevo oedd addysg, a llwyddwyd i gadw'r ysgolion i fynd mewn seleri a mannau anghysurus iawn ar brydiau. Rwyf yn siŵr bod hanner awr o Kate Adie wedi gwneud mwy o les i fyfyrwyr Llysfasi sydd yn cychwyn ar eu gyrfaoedd yng nghefn gwlad nag wythnosau o ddarlithoedd. O glywed sut roedd y ferch osgeiddig hon wedi llwyddo i'w chadw ei hun yn fyw oherwydd ei bod yn gwybod sut i odro gafr a sut i yrru lorri fawr roedd pawb yn teimlo rhyw falchder yn eu sgiliau hwy eu hunain hefyd. Mae yne hen lwncdestun 'Mochyn i bawb!' Os oes gennych fochyn, mae gennych gynhaliaeth. Mae neges debyg ym Mosnia; 'Diolch bod y fuwch yn saff'. Codwyd cywilydd arnaf o wybod am fy niffyg sgiliau ac mae arnaf ofn dweud wrth bawb bod fy nyddiau y tu ôl i lyw'r car ar ben. Nid yn unig yr wyf yn beryg bywyd, yr wyf hefyd yn methu cysgu ac ar ben hyn i gyd mae'n mynd i gostio ffortiwn.

Gorffennaf 8

Rydw i'n cael breuddwydion llachar er na fyddaf yn eu cofio'n aml gan fod y manylion wedi diflannu'n raddol yn ystod y dydd. Neithiwr breuddwydiais fy mod wedi cyrraedd y Steddfod a Clive Betts wedi dweud, 'You are sacked!' Chwiliais am rywle i grio a gwelais babell 'The English Tent' a meddwl na fydd neb yn fy nabod yn y fan honno, ond pwy oedd yno ond Pauline Quirke yng ngwisg yr Orsedd. Credu bod y gwersi gyrru wedi amharu ar fy synhwyrau.

Gorffennaf 17

Glyn Jones, arweinydd Côr Pendyrus, wedi pechu (nid bod ots ganddo). Fe fychanodd Gôr Godre'r Aran am ganu penillion yng nghystadleuaeth Côr y Byd yn Steddfod Llangollen. Roeddwn i a bron bawb arall drwy'r byd yn meddwl bod eu dehongliad o'r 'Tangnefeddwyr' gan Waldo yn wefreiddiol.

Awst 3

Eisteddfod Llandeilo. Braf ydy cael bod yn ddigon cyfleus i'r Maes i fedru cerdded yno. Wrth gerdded i lawr heibio banc blodeuog lle bu Twm o'r Nant yn cadw tafarn un tro, dod at y bont wych a'r cwbl oedd arni oedd un gadair unig. Gobeithio nad hon fydd yr unig gadair yr wythnos hon. Sylwi hefyd ar yr afallen ym mherllan fferm wag. Aelodau o Gymdeithas yr Iaith wedi cael eu dal hefo potel o win yn eu meddiant. O du'r awdurdodau daeth sŵn tebyg i'r un ddaw allan o'r cwt ieir pan fo llwynog yn dangos ei drwyn yn y drws. Allan â nhw! Dim diod ar y Maes! Ond y rheol, a bod yn fanwl, yw 'dim *gwerthu* diod ar y Maes'. Ond byddai aml i hen begor hefo fflasg yn ei boced 'er lles ei galon' wedi cael ei daflu o'r Maes wysg tin ei drowsus erstalwm. Y mae yna ddiod wedi bod ar y Maes yn gyson os gwyddoch ble i'w gael. (Cofiaf hogsied o sieri yng nghefn pabell Cymry Llundain er enghraifft!) O fewn dwy/dair cenhedlaeth yr ydym wedi trawsnewid o fod yn gwbl ddirwestol i rai sydd yn methu dal ein diod. Mae wedi mynd yn obsesiwn.

Awst 4

Dydd Sul andros o boeth. Shân Emlyn yn dweud uwch frecwast fod Lyn Jones, Caerdydd, wedi marw ddoe. Nid wyf yn cofio Steddfod hebddo fo a Heulwen, dau arbennig o selog ac aelodau o Bedwarawd y Wenallt. Eu nabod eu dau er dyddiau Llunden. Heulwen yn athrawes ysbrydoledig yn yr ysgol Gymraeg yno. Erbyn diwedd y dydd roedd chwech o bobl sydd yn gweithio i'r BBC wedi dod ataf i ddweud eu bod yn cyd-fynd â'm sylwadau yn fy ngholofn yn *Y Cymro* ac yn pwyso arnaf i beidio'r rhoi'r gore i feirniadu'r polisi newydd o Seisnigo a thwpeiddio. A phob un yn erfyn arnaf i beidio â'u henwi neu mi gânt y sac.

Awst 5

Diwrnod prysur a dyna'n union sut yr wyf yn hoffi pethe. Wedi gwneud trefniadau i gyfarfod yr hen ffrind Ann Pencader. Mwynhau sgwrs ansbarthol a chwerthin nes oeddym yn wan wrth gofio rhai o droeon trwstan y fflat yn Willesden Green erstalwm. Cofio fel yr oedd gan bawb ohonom ofn cael bath oherwydd bod y *geyser* oedd yn cynhesu'r dŵr yn medru saethu tafod o dân tuag atom wrth inni droi'r nobyn. Clywid mynych sgrech o'r baddondy. Balch o ddeall bod Ann hefyd wedi cael trafferth i ddysgu gyrru car ac wedi cega'r arholwr fel tai o'n blentyn bach yn ei dosbarth! Fel popty yn y Babell Lên, lle bûm yn cadeirio 'Gair am Air'. Meg, Eurig a Vaughan yn erbyn Tegwyn, Rhys ap Tegwyn ac Eleri Eirug. Da iawn! Dafydd Pritchard yn ennill y Goron am gerddi ar y thema Olwynion.

Awst 6

Annifyr iawn a'r glaw yn tywallt a'r Maes yn llifo, ac ataliwyd Tlws y Cerddor a Gwobr Goffa Daniel Owen. I ble aeth y cotie pac-a-mac oedd yn gwbl angenrheidiol i bob Steddfodwr erstalwm? Cofio Rhydderch mewn pac-a-mac o'i ben i'w draed a Gwenlyn yn edrych arno ac yn dweud 'Diawl, Rhydd! Rwyt yn edrych yn debyg i gondom anferthol!'

Awst 7

A heddiw, atal y Fedal Ryddiaith. Y Super Furry Animals ar y Maes hefo clamp o danc mawr. Cyfarfod i fod am 10 ym Mhabell y Cymdeithase lle roedd cyfarfod wedi'i drefnu i drafod Radio Cymru. Dylan Iorwerth yn y gadair a Merêd a Hywel Teifi a fi wedi cael gwŷs i siarad, ond yr oedd Cymdeithas Ariannin yno. Er mawr syndod ni chaem fynd i mewn. Cymdeithas Cymry Ariannin oedd piau'r awr, meddid wrthym. Fel y dywedodd rhyw wag y tu allan: Ariannin 1, Cymru 0. Wedi cryn sefyllian a bygwth celanedd, dod i'r casgliad ein bod yn dystion i fflop enfawr a phawb yn ei chael hi – yr Eisteddfod, yr Ariannin, Dylan Iorwerth, John Redwood, tîm rygbi Cymru ac athrawon. Rhaglen Sulwyn wedyn, ac andros o helynt a gweiddi a ffraeo, ac wedyn rhuthro i babell y Dysgwyr i gymryd rhan mewn panel holi'r gwleidyddion hefo Felix Aubel, Marc Phillips a Paul Flynn.

Awst 8

Derec Llwyd yn lambastio Radio Cymru. Ef oedd Llywydd y Dydd heddiw. Mater o farn ac nid mater o chwaeth yw'r broblem. Nid yw iaith sathredig yn dderbyniol na chwaith chwarae'r holl recordiau Saesneg. Dyna gefnogaeth hoelen wyth go sylweddol i'r ddadl sydd yn poethi. Awr o Dalwrn ddiwedd y pnawn a llawer o'r beirdd yn gwneud hwyl am ben bratiaith Radio Cymru. Yr eironi oedd bod rhai o'r beirdd yn ennill marciau am linellau'n frith o eiriau Saesneg ac yn cael canmoliaeth a chymeradwyaeth am wneud. Cenedl od ar y naw yden ni!

Awst 9

Gwell tywydd heddiw. Noson neis yn y White Hart heno i ddiolch i Iorwerth (Iori Daily Post) am ei waith. Ugain ohonom a chafwyd englyn gan Dyfed Evans, cywydd gan Wyn G. Roberts. Cyfarfod hen ffrind arall o ddyddiau'r fflat, sef Elaine sydd yn wreiddiol o fro'r Eisteddfod ond yn byw yn Sussex ers blynyddoedd lawer. Evan Dobson, tynnwr lluniau'r *Cyfnod* yn y Bala yn gwneud i mi chwerthin. Roedd newydd fod yn cwyno nad oedd ganddo lun trawiadol i'w roi ar y dudalen flaen yr wythnos nesaf. A'r eiliad honno dyma Dyfed Evans yn estyn datganiad i'r wasg inni yn enwi enillydd y Gadair. 'R. O. Williams o'r Bala,' medde fi a gallasech feddwl bod Evan wedi ennill y Loteri. Daeth rhyw olwg dangnefeddus dros ei wyneb. 'Iechyd! Dwi'n mynd,' medde fo a diflannodd fel milgi a'i gamera i lawr y coridor rhwng stafell y wasg a chefn y llwyfan. Hen foi iawn ydy Evan.

Lle hapus yw ystafell y wasg: criw cyfeillgar, pawb yn helpu'i gilydd. Bob amser yn edrych ymlaen at eu gweld i gyd – yn arbennig pedwar ohonyn nhw, sef Dyfed Evans, swyddog y wasg parod ei gymwynas a'i wên, a'i briod Doris siriol. A Wyn a Megan Roberts yn cadw trefn ac yn cofnodi'r canlyniadau i fyny ar y waliau.

Awst 10

Dod adre drwy law trwm. Dwy stori dda i'r *Bedol*: Manon Elis Jones yn ennill Gwobr Goffa Llwyd o'r Bryn a Rhys Meirion, prifathro Pentrecelyn, y Rhuban Glas. Rwyf yn teimlo bod y Steddfod yn gwella bob blwyddyn. Fy ffrind Gwyneth Llewelyn (Reynolds gynt) oedd ysgrifennydd yr ŵyl eleni ac mae hi'n hapus.

Awst 11

Wedi cysgu fel daear o wningod a deffro hefo rhywun yn neidio ac yn cerdded i fyny'r gwely ac yn stwffio'i ben dan fy ngên. Yr oedd y pen fel sidan ac yn gwneud sŵn bodlon iawn. Ac nid Cliff oedd o ond Jonsi'r Gath wedi maddau i mi am fynd i ffwrdd. Mwynhau darllen cerddi'r Goron – Olwynion, yn medru uniaethu â nhw: Olwyn Fawr yn y Rhyl, olwynion y troliau felltith yn yr archfarchnad sydd yn berchen llygaid croes, pramiau'n llawn o fabis yn sgrechian a'r mamau wedi cael llond bol.

Awst 15

Stori anfarwol yn torri. Mae'r beirdd ar streic. Timau *Talwrn y Beirdd* yn gwrthod recordio rhaglenni oherwydd y newidiadau yn Radio Cymru. Fandaliaeth, ebe Tegwyn Jones. Lle buoch, chi hogie bach, a finne wedi bod fel rhyw belican yn yr anialwch am ddeg mis?

Awst 18

I'r Wyddgrug bore i recordio darn i Radio Wales ar helbulon Radio Cymru. Aeth y cyfan ar wasgar ac ar drywydd hollol wahanol i'r hyn ddywedwyd wrthyf ymlaen llaw. Gillian Reynolds, beirniad radio'r *Telegraph,* hefyd ar y rhaglen ac yn gwybod dim o gwbl am Radio Cymru ac aeth y sgwrs i gyfeiriad hollol wahanol a dieithr i mi! Roedd y cyflwynydd wedi mopio'n lân o gael rhywun enwog fel hi ar ei raglen ac nid oedd erioed wedi clywed sôn amdanaf i. Felly canolbwyntiodd ar Gillian . . . A chefais i mo 'nhalu chwaith.

Awst 21

Anfon gair at Martyn Jones, fy AS, yn gofyn iddo bwyso ar y Llywodraeth i gynnwys y Ddraig Goch ar y cardiau adnabod arfaethedig a dweud wrtho y byddaf yn gwrthod yn bendant â chario cerdyn adnabod a llun Jac yr Undeb arno.

Awst 22

Mynd i Asda yn y Rhyl i brynu bagied o ffa polysteirin i lenwi'r bag ffa (neu'r ffa fag hyd yn oed) ond dim ar gael. Wedi stopio'u gwerthu. 'Dario unweth,' medde fi, 'bydd rhaid i mi fynd adre i ladd iâr.' Mae'r ddynes yn dal i geisio dyfalu am beth oeddwn yn sôn.

Awst 26

Darllen hunangofiant Elizabeth Longford (sydd newydd ddathlu ei phen-blwydd yn 90), *The Pebbled Shore.* Cofnod o fywyd prysur, wyth o blant, awdur nifer o lyfrau. Un hanesyn ganddi roddodd bleser mawr i mi. Medde Beatrice Webb wrth dad Tony Benn: 'Pan fydd Sidney a fi yn priodi yr ydym wedi penderfynu mai Sidney gaiff wneud y penderfyniadau mawr a minnau y penderfyniadau bach. Ac mai fi fydd yn penderfynu pa rai ydy'r penderfyniadau mawr.'

Medi 6

Yn angladd Meirion Pencoed Ucha, cefnder fy mam. Bu farw yn 63 oed yn ystod treialon Cŵn Defaid Môn, newydd ennill dwy wobr yno. Ni welais erioed gymaint o geir ym Mhwll-glas. Teyrnged wych iddo gan Dai Jones, Llanilar.

Hydref 1

Yn ôl arolwg gan y *Reader's Digest* yn ddiweddar y ddinas fwyaf anonest ym Mhrydain yw Caerdydd. Penawdau'n dweud nad yw'r Cymry'n bobl onest o gwbl ond rydw i newydd glywed hanesyn sydd yn gwrthbrofi hyn i gyd. Ddiwedd Awst aeth Bryn a Myfanwy am wythnos i ucheldir yr Alban. Cysgu mewn pabell ar lan Loch Lomond yn swnio'n rhamantus iawn heblaw am y piwied. Mynd i mewn i giosg mewn rhyw bentref er mwyn ffonio adre i wneud yn siŵr bod popeth yn iawn. Wedyn yn eu blaenau ac aros ymhen rhyw ugain milltir mewn pentref arall a Myfanwy yn ymofyn ei phwrs i dalu am barcio, ac nid oedd sôn am y pwrs. Panics! Yn ôl ugain milltir a rhuthro i'r ciosg. Dod allan yn gwenu a nodyn yn ei llaw yn dweud bod y pwrs wedi'i ddarganfod a'i fod yng ngorsaf yr heddlu ym mhentref Killin. OND y peth rhyfeddaf ynglŷn â'r nodyn yn ei llaw oedd ei fod yn Gymraeg!

O'r holl ymwelwyr ag ucheldir yr Alban yr oedd y sawl a ddarganfu'r pwrs wedi sylweddoli bod rhywun o Lanelwy yn arddel yr enw Myfanwy Jones yn debygol o fod yn siarad Cymraeg! Sydd yn profi bod yna Gymry gonest, a rhaid diolch i Mair Rees o Landysul am ei chymwynas yn adfer ffydd mewn pobl.

Hydref 2

Mae Rhys Nicholas wedi marw yn 82 oed. Awdur y geiriau sydd yn cael eu canu ar y dôn 'Pantyfedwen'. Mae'r anffyddiwr pennaf yn cael gwefr wrth ganu ei 'Haleliwia yn fy enaid i'. Dyn bach annwyl iawn oedd o.

Hydref 8

Treulio fy mhnawn Mawrth arferol yn yr archifdy a mwynhau mynd drwy'r *Denbighshire Free Press* 1933. Dyma'r flwyddyn y daeth fy nhad adre o Ganada hefo digon o bres i brynu ei fferm gyntaf. Bu'n gweithio yn y cynhaeaf gwenith ar y paith, yn gwerthu bara ym Montreal ac yn pacio pysgod yn Winnipeg. Roedd ganddo fo straeon di-rif a byddem yn gwenu'n ddistaw pan fyddai'n dweud, 'Dwi'n cofio pan oeddwn i yng Nghanada . . .' Lwc iddo fo ddod yn ôl . . . Hefyd yn 1933 bu farw Dorothy White, Rhydyglafes, Cynwyd, yn 100 oed. Mam Mrs Sam Evans, Gwyddelwern erstalwm. Sam Evans oedd y dyn dall cyntaf i mi ei weld erioed ac yr oedd yn ennyn cryn chwilfrydedd pan oeddem yn blant. Byddai ei fab Bowen (oedd yn Ysgol Ramadeg Dinbych hefo Nhad) yn galw yn aml – roedd yn gaplan yn y fyddin a chanddo straeon lliwgar. Byddai cyffro mawr pan welem o'n dod rownd Cornel y Coed yn ei lifrai a'i esgidiau pen-glin duon sglein. Yn anffodus, caem ni, blant, ein hanfon i'r gwely a chollwyd cyfle i wrando ar straeon llygad-dyst ar faes y gad. Ar ddiwedd y rhyfel aeth Bowen yn athro hanes i ysgol ramadeg yn Luton.

Hydref 9

I gapel Ebeneser, Rhuddlan, i roi sgwrs i'r Hafan Deg, cymdeithas o ddynion wedi ymddeol. Criw cyfeillgar a deallus. Aled Rhys Wiliam wedi cyfansoddi englyn i mi, ac wedyn aeth Cliff a minne am bryd o fwyd hefo fo ac Ann i Ty'n Rhyl. Lle diddorol, y tŷ hynaf yn y Rhyl. Hen gartref Angharad Llwyd, hynafiaethydd a hanesydd fu farw yn

1860. Y lle yn llawn o dderw ac yn cynnwys panel (fe honnir) allan o wely Catherine o Aragon. Y tu allan roedd clamp o geiliog Rhode Island mwyaf a welais erioed hefo coese fel ceincie masarnen a chrib ffyrnig. Roeddym newydd fwyta'i frawd.

Hydref 17

Stori fach ramantus yn torri heddiw. Clare Short, yr AS herfeiddiol, yn cyfarfod â'i mab. Fe'i rhoddodd i'w fabwysiadu pan oedd yn chwe wythnos oed, 31 mlynedd yn ôl. Erbyn hyn mae o'n gyfreithiwr ac yn pleidleisio i'r Torïaid! Yntau hefyd wedi bod ar drywydd ei fam 'iawn'. Mae'n siŵr iddo gael andros o syrpréis pan ddarganfu pwy oedd hi. Y ddau'n gwenu fel giatiau. Mae Clare yn onest. Aiff hi ddim yn bell felly.

Hydref 21

Ddeng mlynedd ar hugain yn ôl i heddiw, tua hanner awr wedi pedwar yn y pnawn, yr oeddwn yn cerdded i lawr Holloway Road ar fy ffordd adre o'r ysgol ac yn ôl f'arfer yn prynu'r *Evening Standard,* a gweld y newydd ysgytwol fod yna drychineb ym mhentref Aber-fan. Ymhen y rhawg cawsom wybod bod 116 o blant a phump o athrawon (ac eraill) wedi colli eu bywydau dan y domen lo a lithrodd i lawr y mynydd a mygu'r ysgol. Ychydig o flynyddoedd yn ddiweddarach y cyfarfûm â Cliff a deall bod Dai Beynon, un o'r athrawon a laddwyd, yn hen ffrind iddo o ddyddiau'r Coleg Normal.

Hydref 25

I'r BBC yn yr Wyddgrug bore i recordio darn i Radio Wales (nid wyf yn cael darlledu ar Radio Cymru bellach – y golygydd wedi monni) i sôn am y gyfrol *Ar ein Hanner Canfed,* sef casgliad o ryw hanner cant o erthyglau gan aelodau Cymdeithas Hanes Teuluoedd Clwyd i ddathlu cyhoeddi'r hanner canfed rhifyn o'r cylchgrawn *Hel Achau.* Mae'n gyforiog o wybodaeth a hanes amrywiol dros ben. Er enghraifft, hanes Charles Tân fu'n rhoi ffermydd ar dân yn Uwchaled yn y ganrif ddiwethaf; olrheinir y cysylltiad sydd rhwng Rudyard Kipling a Rhuthun a hanes difyr Owen Rhoscomyl a stori ryfedd yr Arian Mawr.

Hydref 26

Yn ddiweddar cafwyd Wythnos Genedlaethol Barddoniaeth a barnwyd mai'r hoff gerdd a ddarlledwyd ar y teledu oedd un o'r enw 'Warning' gan Jenny Joseph. ('Do not go gently' gan Dylan T. ddaeth yn ail.)

Mae cerdd Jenny J. yn codi gwên ond mae iddi ddyfnderoedd o dristwch hefyd gan mai sôn am heneiddio y mae hi. Heneiddio'n anurddasol a rhyfygus a phrotestgar. Pan fyddaf yn hen, meddai, rwyf yn mynd i wisgo dillad piws a het goch sydd ddim yn gweddu a gwario fy mhensiwn ar frandi a menig a sandalau sidan. Pan fyddaf yn hen, meddai, yr wyf yn mynd i ddwyn blodau o erddi pobl a mynd allan yn fy slipars a dysgu poeri. Pan fyddaf yn hen, ychwanega, rwyf am redeg fy ffon ar hyd y relins yn y parc a chanu cloch y drws cyn rhedeg i ffwrdd.

Rydw inne hefyd wedi blino bihafio a bod yn esiampl dda i'r genhedlaeth nesaf. Wedi blino bod yn nain sidêt a modryb ddoeth, llawn cynghorion da ac anrhegion pen-blwydd. Rydw i'n mynd i brynu ddillad coch er bod pawb wedi dweud wrthyf drwy f'oes na ddylai pengoch wneud y fath beth. Rydw i'n mynd i bwrcasu dwsin o gathod. Oes, mae gen i gath ond er ei bod hi'n fawr nid yw'n ddigon. Pan fyddaf yn hen, rwyf yn mynd i yfed jin a tonic nes daw allan o nghlustie a phrynu siocled Bounty fesul sacheidie ac mi sgwennaf y nofel Gymraeg futraf a gafwyd erioed. Ac mi gawn faddeuant. Byddai pobl yn dweud, 'Yr hen greadures, mynd yn hen a hurt y mae hi.'

Tachwedd 14

Evan Dobson ar y ffôn yn dweud bod Rhys Tudur wedi marw bore heddiw yn 45 oed. Mi wyddem ei fod yn sâl. Mab Dr Tudur a Gwenllian, Bangor, ac un annwyl iawn. Yn weinidog yn y Bala a bu'n gymorth mawr iawn i Luned a minne ar *Y Faner*. Teimlo dros Elin – pedwar o blant ifanc ganddi i'w magu.

Rhagfyr 4

Aeth Cliff i mewn i ysbyty Gobowen ddoe i gael gwneud ei glun o'r diwedd. Wedi bod mewn poen am fisoedd. Gwnaed y profion wythnos yn ôl ac mae popeth yn iawn a chawsom addewid o *epidural* gan ei fod wedi adweithio'n ddrwg i anasthetig yn 1989. Ffonio am 4:15 – heb fynd i'r theatr. Gwybod yn syth bod hyn yn arwydd drwg gan y byddai ei bwysedd gwaed wedi codi wrth orfod aros trwy'r dydd. Ffonio 7 ac roedd yn ôl ar y ward ac yn iawn. 7:15, y llawfeddyg yn ffonio i ddweud bod y llawdriniaeth wedi bod yn llwyddiannus. Helen a fi yn agor potel o win i ddathlu. 11:30; galwad i ddweud wrthym bod angen mynd i'r ysbyty ar unwaith. Roedd Helen wedi yfed dros hanner potel o win ac felly ni fedrem fynd yn y car a bu rhaid anfon am Alan a Buddug a chyrraedd yr ysbyty toc wedi hanner nos. Nyrs yn ein cyfarfod yn y drws a'i gwep yn hir. Cael yr argraff ganddi ein bod yn rhy hwyr. Cael ein tywys i berfeddion yr ysbyty a dyna lle roedd Cliff annwyl yn ymladd am ei wynt, ei dafod yn cyrlio yn ôl ac ymlaen a'i ddwylo'n crafangu'r gwely. A chael sioc wrth ddeall nad oes yno uned gofal arbennig! Meddyg yn dweud ei fod wedi cael 'arrest'. Eistedd hefo fo drwy'r nos yn siarad a gafael yn ei law. Ac roeddwn yn oer fel rhew a neb yn yr ystafell fawr ond ni ein dau. Dim meddyg ar ein cyfyl. Tua pump y bore aeth cryndod brawychus drwyddo a gwelais ei wyneb yn ystumio ac fe wasgodd fy llaw am y tro cyntaf. Gofyn i'r nyrs beth oedd yn digwydd. 'Dim byd,' meddai, 'dim ond breuddwydio mae o.' Deall wedyn fy mod wedi'i weld yn cael strôc . . .

Rhagfyr 5

Wedi rhynnu. Yn dal i ymladd am ei anadl. Ei fraich chwith wedi chwyddo'n biws. Daeth meddyg o'r diwedd ganol y bore. 'Good God,' meddai dros y lle. Tri y pnawn, dau feddyg yn dod i siarad ac yn dweud nad oedd gobaith iddo ac fe'i rhoddwyd ar yr awyriadur a dechrau chwilio am uned gofal dwys yn rhywle. Ambiwlans yn mynd â fo ffwl sbid i Wrecsam. Ymhen tair awr cefais ei weld; yn dawel o'r diwedd a'r peiriant yn anadlu drosto. Dywedais wrth y nyrs a'r meddyg fy mod wedi gweld rhyw gryndod yn mynd trwyddo ganol y nos a gofynnais a oedd wedi cael strôc. Nag ydy oedd yr ateb. Aeth Buddug i Fanceinion drwy'r niwl i gyfarfod Lesley, oedd yn hedfan mewn braw o Lisbon. Y ddwy ohonom yn gwegian yn ein dagrau. Mae ei ffynnon hithau fel minnau yn agos i'r wyneb.

Rhagfyr 6

Genesis yw enw'r peiriant sydd yn ei gadw'n fyw. Mae fel anghenfil o gwmpas y gwely, dwylath o hyd a theirllath o led. Mae o'n fflachio ac yn hymian, yn blipian ac yn sisial, yn chwyrnu ac yn canu crwth. Yn cynnal bywyd. Ar yr ochr dde mae sgrin hefo rhesi o graffs coch a glas a gwyrdd a melyn yn mesur curiad calon a phwysedd gwaed a maint yr ocsigen ac mae pob fflic yn codi braw arnaf i. Mae Genesis yn medru rheoli a mesur popeth. Mae o'n medru gwneud popeth heblaw gafael yn fy llaw. Ac yr wyf yn dibynnu arno i ddweud y gwir wrthyf.

A oes geirie mwy iasoer na 'Hoffai'r meddyg gael gair yn ei swyddfa'? Y meddyg yn dweud wrth Lesley a fi ei fod yn wael iawn a'i fod wedi cael strôc. Ni ŵyr pryd. Medrais ddweud wrtho pryd. O ddarllen rhwng y llinelle (mae meddygon yn amharod i feirniadu ei gilydd), daeth Lesley a fi i'r casgliad nad oedd wedi bod yn ddigon ffit i gael triniaeth. Na ddylasai fod wedi mynd i ysbyty heb uned gofal dwys ynddi. Ni ddylid bod wedi aros deunaw awr cyn ei symud i un yn y Maelor, y dylid bod wedi rheoli'r boen yn ei goes yn well dros y misoedd fel y gallai fod wedi chwarae golff ac ati er mwyn cael symud mwy. Nid wyf wedi bwyta na chysgu, dim ond eistedd wrth y gwely yn siarad hefo fo'n ddi-baid. 9:30 heno mi wasgodd fy llaw. Nyrs yn dweud nad yw hynny'n bosib. Ond mi ddaru o.

Rhagfyr 7

Mae o'n edrych yn well. Cefais ymateb pan ddywedais fod y carped wedi'i osod yn yr estyniad newydd.

Rhagfyr 8

Agorodd ei lygaid am eiliad a cheisio tynnu'r bibell o'i drwyn. Llygedyn o obaith gan y meddyg, yn dweud bod ei arennau a'i galon yn iawn. Gwelais ei goes chwith yn symud a gorfoleddais. Ond y meddyg yn dweud yn swta nad 'oedd yn symud i bwrpas'. Dod adre drwy niwl trwchus ar Faes Maelor a Nant y Garth.

Rhagfyr 9

Eistedd y tu allan i'r uned am dri chwarter awr; ddim yn cael mynd i mewn am ryw reswm. Bron â chwydu mewn pryder ac yr oedd stumog y ddwy ohonom yn troi drosodd bob tro roedd y drws yn agor a neb yn dweud bw na be. I mewn o'r diwedd a chanfod ei fod yn anadlu ar ei ben ei hun! Chwifiodd ei law a chodi'i fawd. Ydw i'n rhyfygu wrth deimlo'n fwy gobeithiol?

Rhagfyr 10

Siom heddiw – wedi cynhyrfu yn y nos a bu rhaid rhoi tawelyddion iddo ac ni chefais siw na miw ganddo. Nid oes unlle tristach na'r cyntedd y tu allan i'r uned gofal dwys – rhes o berthnasau mewn gwewyr yn aros am gael mynd i mewn, yn ysu am unrhyw newydd ac yn ofni ei glywed, eisiau sgwrs hefo'r meddyg ac yn ofni beth oedd ganddo i'w ddweud. Teulu annwyl Bryn y Gath, Abergeirw, yn eistedd yno heddiw. Mewn pryder am fod gwraig a mam yn ddifrifol wael.

Rhagfyr 11

Dim symudiad ganddo heddiw. Gwely Mrs Roberts, Bryn y Gath, yn wag. Minnau'n teimlo'n euog wrth lawenhau nad ein profedigaeth ni oedd hi. Galwad ffôn i'r ysbyty ganol nos a nyrs yn dweud ei fod wedi cael ei symud allan o'r Uned Ddwys i'r Uned Arbennig. Llamodd fy nghalon. 'Oh thank you, thank you,' llefais. A dyma hi'n dweud mai oherwydd bod yr Uned Ddwys yn llawn ac mai Cliff oedd y person iachaf i'w symud!

Rhagfyr 12

Caniad ffôn ganol bore yn gofyn caniatâd i wneud tracheostomi er mwyn iddo fedru anadlu heb gymorth peiriant. Gwnaed hyn oherwydd pan oeddym yno bnawn ddoe aeth ei wyneb yn biws ac yr oedd yn colli ei wynt a gwelwyd bod yna dwll yn y bibell anadlu. Fe fu panics sydyn. Mae Lesley wedi mynd yn ôl i Lisbon.

Rhagfyr 15

Heddiw, am y tro cyntaf clywais y geiriau 'Mae o'n well!' Mae staff yr Uned Ddwys yn greaduriaid arbennig iawn ond nid wyf yn meddwl bod hyd yn oed y nhw yn llawn sylweddoli beth mae un gair cadarnhaol yn ei olygu. Noswaith o gwsg yn un peth. Yn enwedig i un fel fi sydd wedi cael fy melltithio â chof da a hynny'n golygu fy mod yn cofio pob gair a glywais gan feddyg a nyrs ac yn eu hail-fyw a chnoi cil uwch pob sill.

Rhagfyr 18
Diwrnod mawr. Mi winciodd arnaf! A chysgais fel gwaren o wningod.

Rhagfyr 22
Ein priodas arian.

Rhagfyr 23
Helen wedi bod yma am ychydig ddyddiau. Beth wnawn hebddi? Mae yna rywun gwahanol yn mynd â fi i Wrecsam bob dydd. Bendith ar eu pennau nhw i gyd. Cael fy ngalw i swyddfa'r meddyg. Yntau'n dweud y bydd Cliff yn anabl weddill ei oes. 'Pa mor anabl?' gofynnais. 'Anabl iawn' oedd ei ateb.

Rhagfyr 24
Wedi codi i'w gadair. Noswyl Nadolig – y fi a Jonsi'r Gath.

Rhagfyr 25
Cael cinio Nadolig gwerth chweil hefo Shôn ac Eirlys Dwyryd ac wedyn aeth Eirlys â fi i'r ysbyty. Nyrs yn meddwl ei fod yn ffwndro'n lân bore pan ddywedodd ei fod eisiau eog mwg a siampên i'w frecwast. Minne'n egluro iddi mai dyna ein brecwast arferol fore Nadolig. Sydd yn profi ei fod yn gwybod pa ddiwrnod ydy hi! Jonsi yn chwydu ar y carped. Gormod o bwdin – wel, giblets.

Rhagfyr 28
Wedi cael tri diwrnod sefydlog ond wedi cael ei drydedd dôs o haint ar ei ysgyfaint. Nyrs yn dweud mai ysbyty yw'r lle

mwyaf afiach posib. Mae'n anodd penderfynu sut y mae o: cael ateb gwahanol gan bwy bynnag sydd yn digwydd ateb y ffôn.

Rhagfyr 31

A dyna flwyddyn gythryblus iawn ar ben. Rywsut neu'i gilydd y mae pawb wedi'i chael hi. Dyna'r ffermwyr pan ddaeth y BSE fel bollt o nunlle a ffwndro bywoliaeth ein cymunedau cefn gwlad a buchesi iach yn cael eu cwlino. Ac er mawr syfrdan, dyma D. Elwyn Jones yn gadael y blaid y bu'n ei hyrwyddo am flynyddoedd. Yntau wedi gweld y gole coch. Aeth beirdd y Talwrn ar streic ond ddaru fawr neb sylwi a rhyw ymdrech bitw oedd hi ac roeddynt yn ôl ar yr awyr cyn i chi droi rownd ac achoswyd cryn chwerthin gwawdlyd pan glywyd rhywun ar S4C yn sôn am Farblis Elgin.

1997
Torri 'Nghalon. Ond hefyd 6721!

Ionawr 10

Wedi bod yn gweld Cliff yn yr ysbyty bob dydd. Mae o allan o'r lle gofal dwys ers pythefnos. Ambell ddiwrnod mae o'n ofnadwy o ffwndrus. Dro arall yn wên i gyd ac yn fy nghyfarch. Clywais y nyrsys yn dweud 'He is an absolute darling'. O ydy, mae o. Maent wedi cychwyn ffisiotherapi ac y mae yna fymryn o symudiad yn ei goes ond dim o gwbl yn ei fraich. Mae yna bentwr o bacedi bisgedi a chaws ar ei fwrdd. Fedr o mo'u hagor nhw hefo un law. A heddiw dyma belten. Y meddyg hwnnw hefo'r wyneb hir a'r diffyg empathi yn dweud na chaiff o byth ddod adre. Yr oedd wyneb y nyrs mewn sioc wrth ei glywed. Minnau hefyd. Dywedodd fod y strôc drom a gafodd yn golygu bod un ochr wedi'i pharlysu ac nad yw Cliff yn gwybod bod ganddo fraich a choes arall! Dene beth od. Oherwydd mae wedi bod yn gafael yn ei fraich yn rheolaidd gan ddweud, 'Mae angen i mi weithio ar hon hefo'r ffisiotherapydd.' Mae o'n ffyddiog ei fod yn mynd i wella. Fe'i clywais yn dweud wrth Glynne ei frawd ei fod wedi cael 'strôc fechan'. Druan. Rwyf yn gwybod wrth gwrs na fydd o byth yn iawn ond ni wn pam roedd rhaid i'r meddyg daflu dŵr oer ar ein penne. Mae Cliff yn siaradus ac eisiau gwybod hanes pawb a sut mae'r tarw newydd yn Rhydonnen a sut olwg sydd ar yr estyniad ac yn hiraethu am Jonsi. Ac mae ei fodrwy briodas ar goll a diflannodd tri phâr o byjamas newydd. Rwyf eisiau mynd yn bell bell i ffwrdd i rywle er mwyn i mi gael sgrechian. Ac ar ben hyn i gyd mae Ffion yn Ffrainc wedi torri ei choes yn sgio.

Ionawr 14

Daeth Lesley drosodd o Lisbon ar frys am ei bod mor flin hefo'r meddyg sydd bob amser mor gignoeth ac wedi fy ypsetio fi mor ofnadwy. Aeth i'w weld a dweud y drefn wrtho am siarad yn rhy blaen – bod ar ei deulu angen hwb er mwyn medru dal i fynd. Ymddiheurodd y meddyg. Mae'n rhaid ei bod wedi rhoi ram-dam iawn iddo fo. Wel, mae hi'n brifathrawes! Dywedodd y doctor ei fod wedi bod yn rhy frysiog, a chyfaddef fod Cliff yn *medically stable.* Wel yn wir – dene stori wahanol iawn.

Ionawr 21

Mae Lesley wedi bod yn poeni'n arw am ei bod wedi colli pâr o glustdlysau a gafodd yn anrheg pen-blwydd gan Simon – a heddiw dyma ddod o hyd iddyn nhw yn y peiriant golchi, yn y drwm, yno ers wythnosau! Ond yr hyn sydd yn cadw'r ddwy ohonom a'n pennau uwch y dŵr yw Ben, saith oed. O beth y gwnaed bechgyn bach? Yn ôl y Saesneg, o wlithen a malwen a chynffonnau cŵn bach. Nid yw bachgen bach saith oed yn llonydd am eiliad. Fel cynrhonyn. Fel cynffon oen bach yn y gwanwyn. Ac yn holi'n dwll. Pam mae Jac Codi Baw yn felyn? Pam na fedraf i gadw peli eira yn y ffrij? Pam mae piod yn gwneud cymaint o sŵn? Sut ydych chi'n gwybod bod piod yn fwy clyfar na'r titw? Ydyn nhw'n fwy clyfar na ti, Nain? Pam mae dŵr yn llifo i lawr? Am mai i'r pant y rhed y dŵr, medde fi. Ddim os ydy o mewn peipen, Nain. Oes yna lawer o lygod yng Nghymru? Pam wyt ti'n gofyn? Am fod Jonsi mor dew. Beth ydy'r *sell-by date* ar y bocs siocled yn y lolfa? Pam mae dydd yn ymestyn? Be 'di bustach? Pam nad yden ni'n bwyta llwynogod? Funud ar ôl munud bob awr o'r dydd – cwestiynau anatebadwy.

Mae bachgen bach saith oed hefyd yn awyddus i helpu. Dos i ysgubo'r dail: ysgubo gwyllt am ryw bum munud ac yna gadael y brwsh a'r rhac ar hyd ac ar led. Dod â baw i'r tŷ a chynnig hwfro. Baglu ar ei draws. Blino ar ganol y dasg. Cymryd hanner awr i dorri iau hefo siswrn i Jonsi. Jonsi yn digalonni ac yn mynd allan i ddal llygoden. Tocio sbrowts a sathru'r manion i'r carped. Lego yn y bath, ym masged y gath, yn nhraed y gwely, yn y tebot.

Mae o'n mynnu bod y Ddraig Las yn byw y tu ôl i'r peiriant golchi ac yn bwyta sane. Ond dim ond un hosan o bob pâr. Mae o hefyd yn bwyta llwye te.

'Nain,' medde fo'n sydyn, 'rwyf yn falch nad wyt ti'n byw yn yr Aifft. Mi faset wedi cael dy lapio mewn *bandages* os byddet ti'n fymi ac mi fasen nhw wedi sugno dy berfedd di allan drwy dy drwyn.'

Mae o'n ddigon bychan i ofni tywyllwch a meddygon ond yn rhy fawr i gyfadde hynny. Mae'n hel esgusion rhag mynd i'r gwely: 'Oh, *The Bill*? Fy hoff raglen. Wnaf i ddim cysgu winc os na chaf weld y *Bill*.'

Mae bachgen saith oed yn hoffi jôcs: Cnoc Cnoc, Nain! Pwy sydd yna? Lucy. Lucy who? Lucylastic yn dy nicyrs di.

Mae unrhyw beth sydd yn berchen olwyn yn werth y byd. Ei uchelgais yw cael byw mewn fflat yn Llundain a bod yn llawfeddyg a dreifio JCB. *Serch yw'r Doctor* meddai SL yn ei ddrama. Hoffwn ychwanegu dimesiwn arall i feddygaeth. Ben Saith Oed yw'r Doctor. Aeth i weld Taid yn Ysbyty Maelor. Yr oedd yn cysgu'n anesmwyth. Ddim yn cymryd sylw o lais neb. Yna llais bach yn dweud 'Helô Taid' ac agorodd y llygaid mawr glas yr un ffunud ag eiddo ei ŵyr. Deffrodd Taid yn syth.

Ionawr 25

Agor yr estyniad yn swyddogol drwy gael swper teuluol – Helen ac Alan a Bryn a fi (a Cliff, Buddug a Myfanwy wrth gwrs) a Gwenno yn galw wedi bod yn canu yn yr ŵyl ganoloesol yn y Castell, a dyma sylw treiddgar ganddi: 'Ys gwn i fydd y pedwar ohonom ni'n mwynhau sgwrsio run fath a chi pan fyddwn ni'n hen?'

Ionawr 28
Dau beth yn codi calon. Mae yna eirlys dan y goeden ac mae Cliff yn medru gafael ym mar y gwely hefo'i law ddrwg. Mi fydde'n dda gen i pe câi fynd i'r uned strôc ond waeth heb, medde'r meddyg. Roedd yn ei gadair heddiw ac yn sgwrsio'n braf.

Chwefror 4
Galwad ffôn sydyn yn dweud bod Cliff wedi'i symud i Ysbyty Rhuthun. Ar ôl yr holl wadu na fyddai byth yn gadael y Maelor dyma fo – rownd y gornel. Medraf gerdded i'w weld mewn pum munud. Mae hi'n wyth wythnos ers y driniaeth drychinebus.

Chwefror 14
Yn Llanrwst heno ar banel *Pawb a'i Farn* hefo Dafydd Wigley a Denzil Davies. Roedd yn braf gorfod meddwl am rywbeth arall. Mae Cliff yn hapus iawn yn Rhuthun – mae'r ffisio yn help mawr er nad yw'n ei gael yn rheolaidd ac mae'r nyrsys yn ei nabod.

Chwefror 20
Newydd drwg. Ni fydd Cliff byth yn cerdded gan eu bod wedi penderfynu bod yr hyn a elwir yn 'postural hypotension' arno. Mae ei goesau'n barod i gerdded ond nid yw ei ymennydd yn gwybod hynny – dyna eglurhad y Dr. Hefyd maent yn mynd i dynnu clamp o swm allan o'i bensiwn yn wythnosol. Ond mae'n rhaid talu'r biliau trydan a nwy o hyd.

Mawrth 1
Mae o wedi bod yn cael codi i'w gadair bob dydd ac eistedd

yn yr ystafell ddydd hefo pawb arall. Mae o hefyd yn cael peth wmbredd o ymwelwyr ac mae gormod yn ei flino ac wedyn mae o'n ffwndro'n ddychrynllyd. Mynnu ei fod yn siarad ar y ffôn hefo Ben ond siarad i'w gloch yr oedd o! Sylweddoli heddiw ei fod wedi colli'r gallu i ddarllen. Bûm yn cario llyfrau Wilbur Smith a Frederick Forsyth ac ati iddo ond wnaeth o ddim cyfaddef na fedrai eu darllen. Dathlu Gŵyl Ddewi yn Jonkers yn Llangollen hefo Shôn ac Eirlys, a chael swper am ddim am fod Eirlys yn canu.

Mawrth 12

Wedi cael tridie anodd. Heno nid oedd yn gwybod ble roedd na phwy wyf i.

Ddoe cafodd ei fesur am gadair olwyn a dywedodd ei fod yn falch bod rhywbeth yn digwydd o'r diwedd. Mae'n gwbl ffyddiog ei fod yn mynd i gael gwellhad llwyr.

Mawrth 15

Gorfod mynd i Lerpwl heddiw i feirniadu yn yr eisteddfod. Galw i weld Cliff ben bore a chanfod eu bod wedi gorfod anfon am y meddyg gan fod ei bwysedd gwaed mor isel. Nid oedd yn dda o gwbl ond bu rhaid i mi ei adael – y pnawn cyntaf mewn 15 wythnos i mi beidio mynd i'w weld. Mynd i Lerpwl yng nghar Gwyn Dob o Lanelwy, a yrrodd ar 100 milltir yr awr i lawr yr A55 ac roeddym yn y twnnel ymhen 20 munud! A Gwyn yn dweud, 'Reit, ffordd rŵan?' a finne'n meddwl ei fod yn gwybod ble i fynd. Buom ar goll am awr a hanner yn trio dod o hyd i gapel Bethel er bod Gwyn yn mynnu ei fod yn gwybod y ffordd i bobman! Croeso mawr gan D. Ben Rees wedi inni gyrraedd o'r diwedd. Steddfod bach dda ond cefais hi'n anodd canolbwyntio gan mai yn Ysbyty Rhuthun yr oedd fy meddwl. Roedd Gwyn yn feirniad cerdd ardderchog ac roedd hynny'n gwneud i mi deimlo'n gan gwaeth. Mae'n siŵr bod y gynulleidfa'n methu deall pam fy mod mor ddi-hwb.

Mawrth 19
Cliff wedi mwynhau ei fwyd heddiw – Buddug wedi gwneud ei ffefryn iddo, sef crème brulée. Mae'r ffwndro yma'n beth rhyfedd. Mae fel pe bai cwmwl yn cuddio'r haul ac yna'n clirio drachefn. Fel tâp yn rhedeg ac yn mynd yn ôl i'r dechrau a chael yr un stori eilwaith. Mae Richard Hughes, y Co Bach, wedi marw. Roedd yn 91 oed. Hedodd fy meddwl at yr hen radio batri gwlyb ar fwrdd y gegin a'r teulu oll yn mwynhau'r hen *Noson Lawen* ac adroddiadau digri'r Co.

Mawrth 23
Llythyr o Wrecsam yn dweud bod yna restr aros hir am gadair olwyn. Siom fawr, sy'n golygu na chaf fynd ag o allan am dro. Mae Lesley yn byw yn Lisbon ond hi sydd wedi cael llythyr yn dweud bod amser Cliff yn yr ysbyty drosodd a bod rhaid iddo un ai ddod adre neu fynd i gartref nyrsio. Neb wedi dweud GAIR am hynny wrthyf i! Beth ar y ddaear sydd yn mynd ymlaen yn adran y gwasanaethau cymdeithasol, ni wn.

Ebrill 6
Diwrnod i'w gofio. Cafodd Cliff ddod adre am hanner awr. Bryn a Fanwy yn fy helpu i wthio'r gadair i fyny'r allt. Cliff wrth ei fodd – gweld yr estyniad am y tro cyntaf a'r patio hefyd, 'yn union fel y dychmygais o,' meddai. Ac roedd cael Jonsi yn neidio ar ei lin yn ei blesio'n aruthrol. Nid oedd arno eisiau mynd yn ôl. Mae o wedi sionci drwyddo.

Ebrill 8
Methu mynd ag o am dro am fod yna ddau byncjar yn y gadair olwyn. Cafodd fenthyg drych gan un o'r nyrsys ac fe ddaeth dagre i'w lygaid ac meddai, 'O, rwyf wedi heneiddio

. . .' Mae criw'r ffisio yn dweud ei fod yn medru sefyll ond ni welaf i unrhyw welliant yn ei symudiadau er bod y nyrsys i gyd yn dweud ei fod yn llawer gwell. Byddai'n dda gen i fedru ymlacio yn hytrach na gwylio pob symudiad. Yn synnu heddiw o'i weld yn croesi ei goesau – hynny yw, yn codi ei goes ddrwg dros ei goes dda.

Mai 1/2

Diwrnod hirddisgwyliedig yr Etholiad Cyffredinol ac yn ddiwrnod hynod o braf, ac aeth dau ddiwrnod yn un. Y polau piniwn yn darogan buddugoliaeth ysgubol i'r Blaid Lafur. Ofni eu credu gan gofio pa mor anghywir yr oeddynt bum mlynedd yn ôl. Pleidleisio yng nghapel y Tabernacl a rhoi croes brocsi dros Cliff. Wedyn i'r ysbyty i'w weld ac roedd mewn hwyliau da. Ac er cymaint ein bytheirio yn erbyn y Toriaid, mae'n rhaid talu teyrnged i Rod Richards, yr ymgeisydd yn yr etholaeth hon. Fo oedd yr unig un o'r pump ymwelodd ag Ysbyty Rhuthun ac yn fwy na hynny aeth i gael gair â Cliff a phlesio'n fawr.

Aeth heddiw'n fory a mwynheais fy hun, bobl bach. O flaen y bocs ar fy mhen fy hun (heblaw am Jonsi wrth gwrs, oedd yn methu deall beth oedd achos yr holl fonllefau). Gwyliais bob eiliad o'r chwyldro tan bump y bore: y mawrion yn cwympo; y ffroenuchel yn llyfu'r llawr. Cael trafferth i benderfynu pa sianel i'w gwylio a bûm yn zapio'n lloerig. BBC1 enillodd, a hynny oherwydd fy mod yn un o ffans Jeremy Paxman. Hefyd roedd graffeg y BBC yn anhygoel a migmams Peter Snow yn werth eu gweld, ei freichiau fel melin wynt, ei goesau fel jiráff a'i siwt ddwywaith yn rhy fawr iddo.

Erbyn diwedd pnawn Gwener roedd Tony Blair yn Brif Weinidog gyda mwyafrif o 179, roedd yna 120 o ferched ac roedd Cymru yn gwbl ddi-Dori. A'r Alban hefyd a Chernyw, a Swydd Efrog heblaw am William Hague. Record arall i

Gymru hefyd – pedair merch yn y Tŷ: Ann Clwyd, Beti Williams, Julie Morgan a Jackie Lawrence, ac allan o'r deugain aelod Cymreig mae 16 yn siarad Cymraeg a thri arall yn ddysgwyr. Cyfartaledd reit dda, buaswn feddwl. John Major yn urddasol iawn wrth ymddiswyddo. Pe bawn i yn ei sgidie mi faswn eisiau mynd i stafell dywyll dan glo, malu llestri, nadu dros y lle a melltithio fy ffawd.

Mai 3

Y *feel-good factor* yn ysgubo'r wlad. Chwifio ein baneri a chysegrwn flaenffrwyth. (Cofio methu deall beth ar y ddaear oedd ystyr y geiriau yna wrth eu canu yn y capel erstalwm . . .) A'r Toriaid yn ffraeo. 'Glasfedd eu hancwyn'. Yn methu deall pam eu bod wedi colli! Pwy sydd am ddweud wrthen nhw ein bod wedi blino ar gymdeithas mor anghyfartal a gweld gormod o iro cynffon mochyn tew. Tony Blair yn Brif Weinidog ifanc newydd, yn wên i gyd, ac fe fydd pawb yn cofio wyneb Michael Portillo pan gollodd ei sedd. Diflannodd nifer o wynebau cyfarwydd megis Rhodes Boyson ac Edwina Currie.

Mai 5

Gŵyl y Banc wlyb iawn. Y tîm newydd yn y Swyddfa Gymreig yw Ron Davies, Peter Hain a Win Griffiths, a Rhodri Morgan heb gael swydd. Mae o'n siomedig iawn – a pha ryfedd; ac mae hyn yn golygu nad oes siaradwr Cymraeg yn y Swyddfa. Yng nghanol yr holl gyffro mawr, hawdd anghofio mai Sais rhonc yw Blair yn y diwedd. Golchi dillad gaeaf a'u cadw mewn droriau dros yr haf.

Mai 6

. . . a methu credu fy llygaid bore heddiw – chwe modfedd o eira! Bwlch yr Oernant wedi cau, bwrdd a chadeirie ar y patio dan drwch o eira a'r goeden lelog yn cusanu'r llawr.

Mai 7
Bwrw cenllysg ac eirlaw, ond fe aed â Cliff i Ysbyty Maelor yn ôl y trefniadau. Y bwriad yw i'r ymgynghorydd oeraidd hwnnw gael golwg arno ac iddo gael tipyn o ffisiotherapi dwys. Mae ei goesau wedi gwella'n dda – hynny yw, y goes gafodd y glun newydd a'r goes gafodd y strôc, ond bob tro mae o'n sefyll mai ei bwysedd gwaed yn plymio ac mae'n cyfogi. Allaf i ddim cael llawer o synnwyr allan o neb: dim ond wynebau hirion, cusanu gofidiau a chryn dipyn o afael yn fy llaw a hidiwch befo.

Mai 9
Cael fy ngalw i Ysbyty Maelor am ddeg y bore, eisiau i mi fynd yno ar unwaith. Cliff yn wael iawn, wedi cael trawiad ar y galon. A hwythau wedi dweud bod ei galon yn gref. Dene beth oedd braw a siom. Galwad i 'nghyfnither Meta a ffwrdd â ni a'i weld mewn stafell fechan ar ddrip, ar fonitor ac ar ocsigen. Y meddyg oer yn dweud wrthyf am beidio mynd adre, y gallai 'fynd unrhyw funud' a phe bai'n cael trawiad arall na fyddent yn ei ddadebru. Oni ddylwn i gael yr hawl i benderfynu pethe felly? Helen, fy anghydmarol chwaer, yn cyrraedd o Swydd Efrog o fewn tair awr.

Mai 10
Cyrraedd adre heno am 7, wedi eistedd wrth ei wely am ryw 34 awr ac mae ei bwysedd gwaed yn sefydlog. Cafodd bryd o fwyd ond mae o'n cicio ac yn paffio yn erbyn yr holl wifrau sydd dros ei gorff. Arwydd da! Yn anfoddog iawn mi ddywedais wrth Lesley beth sydd wedi digwydd – nid wyf eisiau ei tharfu gan ei bod yn feichiog.

Mai 15
Pethe'n gwella yn araf deg. Cael codi i'w gadair. Heno bûm yn beirniadu cystadleuaeth Llyfr Lloffion Merched y Wawr

Rhanbarth Glyn Maelor. Dim ond tri ddaeth i law ond O! cefais fy mhlesio. Tair ymgais sydd yn werth eu cadw i'r oes a ddêl. Aeth y wobr i gangen Bryneglwys a Llandegla am gyfrol oludog.

Mai 16

Cael y newydd bod Cliff yn cael dychwelyd i Ysbyty Rhuthun ymhen wythnos ond yn ôl y meddyg nid oes gobaith iddo gerdded eto. Aeth fy nghalon i'm esgidie a theimlwn fel sgrechian a gweiddi mwrdwr.

Mai 19

Cliff yn well ond yn ufflon o ffwndrus. Meddwl ei fod ar long bleser yng nghanol Môr y Canoldir ac eisiau gwisgo i fynd i lawr i ginio a mynd i'r bar. Ceisio'i ddarbwyllo. Wedyn dyma fo'n canu ei gloch i alw'r nyrs a gofyn am ddau jin a tonic. 'Of course, at once sir,' ebe honno, a dyma fo'n troi ataf i'n ddicllon a dweud, 'Ti'n gweld! Ti sydd yn ffwndro, nid fi.' A gwrthododd siarad gair hefo fi am weddill yr ymweliad. Dywedodd wrth Bryn, 'I'm not ffwndring, am I?' Nid wyf wedi dweud wrtho bod Lesley wedi colli'r babi.

Mai 29

Mae o'n ôl yn Rhuthun ac yn well o lawer. Ond wedi dod o Wrecsam hefo haint ar y bledren, haint yn ei glust a dolur gwely at ei sawdl. Mae staff Rhuthun yn ymfalchïo yn y ffaith nad oes neb byth yn cael dolur gwely yno. Er mawr syndod i mi fy hun medrais ymlacio heno – pryd o fwyd yn y Cross Keys yn Llanfwrog hefo Helen a dwy o'i ffrindie ysgol; Gwenda sydd yn byw yn Lerpwl a Ceri a fu'n byw yn y Philipîns. Dene beth oedd clebran!

Mai 31

Mis trychinebus i'r Toriaïd yn dod i ben pan aeth car modur

drwy wal Clwb Ceidwadol Rhuthun ac amharu'n bur ddifrifol ar gêm o snwcer oedd yn cael ei chwarae ar y pryd. Aeth y peli ar chwâl. Cafodd bawb lond twll o ofn. Snwcerwyd pob Tori yn y lle. Reit! Dene ddigon o drosiade . . . Milwyr a gafodd eu saethu am 'lwfrdra' yn y Rhyfel Mawr yn cael pardwn. Yr oedd pawb bron yn meddwl bod saethu cachgwn yn rhesymol, ond wedi saethu Edwin Leopold Arthur Dyett o Gaerdydd ar 8 Ionawr 1917 fe ddatganwyd pryder oherwydd camddeall gorchymyn a wnaeth y creadur bach.

Gorffennaf 1

Mis anodd iawn wedi mynd heibio. Ambell ddiwrnod yn siriol ac yn cael dod adre am ryw awr yn ei gadair a dro arall yn gwbl ddigalon a ffwndrus. Wn i ddim beth i'w wneud hefo fo. Ond digwyddodd rhywbeth neis heddiw (heblaw fy mod yn cael fy mhen-blwydd), cyrhaeddodd copi o nghyfrol ddiweddaraf *Clust y Wenci,* sef casgliad o golofnau a gyhoeddwyd yn y *Western Mail.* Trwy gydol yr hanner blwyddyn anodd ddiwethaf yma rydw i wedi llwyddo i anfon colofn wythnosol yn ddifeth i'r *Cymro* a'r *Western Mail.* Roedd Cliff wedi gwirioni ac eisiau rhoi copi i bob un o'r nyrsys! Rwyf yn mynd i lawr i'r ward bob nos rŵan i'w molchi. Nid yw'n hoffi i mi wneud ac mae'n anfoddog dros ben. Gofynnais iddo beth oedd yn ei feddwl o'r hyn sydd wedi digwydd iddo (gan fod y meddygon yn mynnu na ŵyr ei fod wedi colli'r defnydd o'i fraich) ac meddai, 'Annheg iawn. Roeddwn eisiau gwneud cymaint o bethau hefo ti – teithio mwy . . .' Mae o hefyd yn nerfus oherwydd fe syrthiodd un o'r hen ddynion ar y ward allan o'r gwely a bu ar lawr am hydoedd.

Gorffennaf 12

Mae corff wedi'i ddarganfod mewn ffos ar Fwlch yr Oernant

ac maent yn meddwl mai'r awdur Alexander Cordell ydy o. Cliff yn crio am fod y meddyg wedi dweud wrtho na chaiff byth fynd adre. Rwyf yn defnyddio pob gewyn i geisio'i gadw ar ei echel ac wedyn mae rhywun arall yn rhoi ei droed ynddi. A chefais lythyr bore oddi wrth y gwasanaethau cymdeithasol yn llawn o gymalau brawychus. Yn dweud y caiff Cliff ddod adre am nad oes angen gofal nyrs arno bellach ond nad oes gan y Cyngor Sir ddigon o bres a bydd rhaid i mi dalu os oes arnaf eisiau gofal proffesiynol yn awr ac yn y man, a'r trydydd peth oedd fy rhybuddio y byddaf yn gaeth, yn flinedig ac o dan straen.

Gorffennaf 27

Camau breision yn ystod y pythefnos olaf – mae o wedi sefyll ac wedi symud o'r gwely i'r gadair. Maent wedi addo llawer mwy o ffisio. Rhedais bob cam adre eisiau dweud wrth bawb. Pymtheg wythnos ar hugain ers y llawdriniaeth. Gresyn na chafodd y strôc driniaeth yn syth.

Awst 1

Criw o'r gwasanaethau cymdeithasol lleol yma ac yn dod â'r hyn elwir yn 'hoist' i mi er mwyn i mi fedru symud Cliff o'r gwely i'r gadair ac yn y blaen. Crymffast o greadur ac iddo gyrniau gwell nag unrhyw darw Aberdeen Angus a welais erioed. A sôn am griw pesimistaidd: yn gwneud eu gorau i mherswadio i roi Cliff mewn cartref. Awgryment y dylwn restru popeth sydd o'i le arno: heb ddefnydd o'i fraich chwith o gwbl, ychydig bach yn ei goes, wedi colli'r gallu i ddarllen a sgwennu, ddim yn medru sefyll na cherdded. Dewisais inne wythnose'n ôl restru popeth o'i blaid – mae o'n edrych yn dda, mae'n bwyta'n dda, mae ei gof yn berffaith, mae'n nabod pawb, mae ei leferydd yn iawn, mae'r nyrsys yn dweud ei fod yn gwella ac mae ganddo un fraich gref i'w lapio amdanaf!

Rhestr yr anrhydeddau allan heddiw ac y mae Syr Wyn yn mynd i Dŷ'r Arglwyddi a Dafydd Wigley i'r Cyfrin Gyngor.

Awst 2

Steddfod yn y Bala. Digon agos i fynd bob dydd, diolch byth. Y meddyg wedi dweud bod rhaid i mi fynd, angen egwyl, gweld wynebau newydd. Neu mi fyddaf i'n mynd yn sâl, meddai. Yr argraff gyntaf. Maes cyfleus ar fin y brifford yng nghesail bryniau coediog, pawb yn gwenu'n ffyddiog. Mae Bobl Bach y Bala bob amser yn edrych ar yr ochr ore. Ym mhabell y wasg mae Wyn G. Roberts â'i galigraffi cain wedi addurno'r muriau moelion hefo englynion a dywediadau bachog. Geiriau Tecwyn Lloyd: 'Nid bywyd heb gymdeithas'. Ddywedwyd erioed fwy o wir. Wyt ti'n gwrando, Margaret Hilda? Meddwl cymaint y byddai Tecwyn yn mwynhau'r wythnos hon ac mor addas bod yna gyfrol *Bro a Bywyd* yn cael ei chyhoeddi ar y Maes. Eiliad o hiwmor yn stafell y wasg: Dyfed Evans wedi cyfansoddi penillion i alaru am ymddeoliad Iorwerth Roberts, un o hen stejars bwrdd y wasg, ac fel roedd pawb yn wylo dagrau hallt, dyma Iori'n cerdded i mewn a'i wefusau eisoes yn ffurfio cwestiwn amlgymalog ac yn barod am wythnos o waith. Rydym yn genedl braidd yn anllythrennog yn gelfyddydol. Chefais i erioed wers Gelf yn yr ysgol. Ond mae pawb yn gwybod am *Salem* ac y mae'r llun gwreiddiol ar fenthyg o oriel Ledi Lever ac i'w weld yn y Celf a Chrefft. Y tro cyntaf iddo gael ei arddangos yng Nghymru. Rwyf wedi'i weld filoedd o weithiau. Mae yna gopi ym mhob tŷ Cymreig yn Llundain. Ond cefais fy swyno gan y gwreiddiol; mae o'n llygad-dynnol, wyneb Siân Owen yn arallfydol – llun sgwâr o bobl sgwâr ac yn werth ei weld. Yn sefyll o'i flaen roedd criw o bobl sydd yn credu yn y Diafol ac yn taeru ei fod i'w weld ym mhlyg siôl symudliw Siân Owen. Iwan Bala'n ennill y Fedal Aur am ei ddarluniau trawiadol (ond dadleuol) a Gwobr Daniel Owen yn mynd i Gwyneth Carey, un o linach Dei Ellis, 'Y Bardd a Gollwyd' ac Elena Puw Morgan – inc yn y gwaed.

Awst 3

Cafwyd rhaglen deyrnged i Emrys Llangwm, ŵyr i fardd, mab i gerddor a brenin bro. Beth wnaem heb bobl o'r fath? Tipyn o hel atgofion am y tro diwethaf y bu'r ŵyl yma, sef 1967, ac roedd yn drobwynt yn hanes y Steddfod. Dyma pryd y clywodd y bobl ifanc eu baw eu hunain yn drewi, chwedl f'ewythr Ieuan Huws, ac y dechreuwyd paratoi rhywbeth ar eu cyfer. Bu llawer o ddweud y drefn am '67 a'r pot cwrw a osodwyd ar fys Tom Ellis yn symbol o ryw rebeliaeth pellgyrhaeddol. Yn '67 nid oedd sôn am bapur bro na phabell drin gwallt, fawr ddim darlledu yn y Gymraeg ac roedd yna nifer o Sinderelas megis y Fedal Ryddiaith a chelf a chrefft.

Mae pethe wedi gwella.

Awst 4

Cen Williams o Landegfan yn cael y Goron am bryddest 'Branwen' – 'cerdd wirioneddol grefftus' yn ôl Nesta Wyn Jones ac yn llawn o ddywediadau pwerus parhaol yn ôl Gwyn Thomas ond John Roderick Rees eisiau coroni Pegi. Deall mai Ifor ap Glyn yw hwnnw. Cofiaf ei eni! Yn Llundain yn fab i Iona Parry Owen o Lanrwst a Glyn Hughes, un o Gymry cynhenid Llundain. Rwyf hefyd yn cofio Pegi, ei nain – Margaret Eluned Hughes fu farw 5 Rhagfyr llynedd yn 87 oed.

Treulio'r pnawn ym mhabell *Y Bedol* yn llofnodi copïau o *Clust y Wenci.* Geiriau nas clywir yn aml yn y Babell Lên yw *grand cru* ond dyna'r geiriau a ddefnyddiodd yr Athro Rees Davies wrth gyflwyno'r Dr John Davies, *grand cru* hanes

Cymru, a chawsom flas gwin ei ymchwil i hanes Boddi Tryweryn. Cymdeithas Hanes Sir Ferionnydd oedd yn noddi, cymdeithas ardderchog sydd yn haeddu mwy o aelodau. Roeddwn wedi anghofio geiriau Henry Brooke pan glywodd am y protestio am golli bro. 'Tir ydy tir,' meddai. Dyna beth oedd unllygeidrwydd dienaid ac anneallus gan rywun oedd ddim yn dallt y dalltins. Naw wfft meddem. (Cofio'r tro cyntaf erioed i mi glywed y geiriau 'naw wfft'. Roedd gen i wallt cyrliog cynddeiriog pan oeddwn yn fechan a Mam yn trio cael crib drwyddo cyn i mi fynd i'r ysgol ond yn methu'n lân â chael y cyrls allan. 'Wel,' medde hi, 'naw wfft iti . . .' A chofiaf fel y chwarddais.)

Awst 5

Cyfarfod tanllyd dan nawdd Merched y Wawr, *Y Faner Newydd,* Barddas, Cymdeithas yr Iaith a Beirdd y Talwrn – y gynnau mawr yn bygwth tanio. Pryder am ein radio, am yr erydu, y llediaith, y fratiaith, yr iaith sathredig, y twpeiddio. Pobl eisiau i Radio Cymru fynd yn ddwyieithog. Dyna beth rhyfedd: dim ond 20% sydd yn ddwyieithog! Mynd â'r tir o dan ein traed wnâi hynny yn union fel a wnaed â Thryweryn. Myrddin ap Dafydd oedd yn arwain y drafodaeth. Cyfarfod tristaf yr Eisteddfod, meddai.

Diwrnod braf a chyw o frid, Guto Puw, yn ennill y Fedal Gerdd.

Wrth gerdded i Babell y Cymdeithasau cael y lle yn fwrlwm gwyllt o sgrech a chlonc a'r Dr Bruce Griffiths newydd fod yn annerch cyn-ddisgyblion Ysgol y Moelwyn, sydd yn dod at ei gilydd bob yn ail flwyddyn. Ni chlywais y fath glegar ers pan ymwelodd Siôn Blewyn Coch â llond sied o dyrcwn fy nain, a pha ryfedd – Elwyn Jones a Rhiain Phillips, Llanowain a John Elfed, Gwyn Tom ac ati. Gwrando ar Geraint H. Jenkins mewn darlith a drefnwyd gan y WEA ar y testun 'Ufferneiddiwch Brwd Bob Owen'.

Pawb yn mwynhau clywed Geraint yn bytheirio ac yn diawlio. Neb yn cwyno. Dyfynnu Bob Owen oedd o wrth gwrs! Ac er i lond wybren o awyrennau darfu ar hedd y Maes yn ystod y ddarlith llwyddwyd i fagu archwaeth am wybod mwy am y chwilotwr a'r malwr delwau fu farw bymtheg mlynedd ar hugain yn ôl.

Awst 6

Ac rydym wedi colli bardd coronog. Bu farw Rhydwen yn 81 oed. Dyn clên. Angharad Tomos yn ennill y Fedal Ryddiaith a chael beirniadaeth wych. Un dda ydy hi.

Roedd yna gymaint o bethau i'w gwneud ar y Maes fel roeddwn yn teimlo fel cath yn ceisio dal ei chynffon. Wrth gwrs, rydym mewn bro oludog a digonedd o bethau yn yr arlwy.

Awst 7

Crasboeth. 'Gair am Air' yn y Babell Lên yn y bore – ymryson rhyddiaith dan nawdd Undeb yr Awduron. Un dasg oedd dewis teitl cofiant i wahanol bobl, a'r prif gocynnau hitio oedd Rod Richards (Bonc yn y Grug) a D. Elwyn Jones (Y Fuwch a'i Chynffon – mewn cydweithrediad â Margaret T.). Yn y pnawn, hen blant Ysgol Gwyddelwern yn hel at ei gilydd wrth babell *Y Bedol*. A daeth yr hen brifathro Ifor Owen hefyd, ac mae o'n dal i gofio pawb. Gwneud darn ar raglen *Newyddiadura* ar y teledu heno hefo Dylan Iorwerth a Gwilym Owen. Yr unig beth a gofiaf yw bod gan Huw Llewelyn Davies lygaid bendigedig, hudolus. Y nyrs wedi mynd â'r teledu at waelod gwely Cliff ac roedd wrth ei fodd wedi fy ngweld ar y bocs!

Awst 8

Ond wythnos wael i fytheiaid y wasg. Ambell i Hannen Swaffer yn gweddïo am law hen wragedd a ffyn, mwd at fogail, gwynt nerthol yn chwythu pebyll y tu chwith allan a'u gwylio'n hedfan dros Aran Benllyn ac afon Tryweryn yn llifo drwy'r maes pebyll. Ond na! Cawsom haul chwilboeth a neb yn barod i gwyno am y gwres rhag i'r nefoedd agor. Gawsom ni brotest? Na, cafodd yr ASau lonydd. Beth am ffrae iawn ymysg y beirdd? Do, bu mymryn o anghydweld am fod John Roderick Rees eisiau coroni Pegi. Ond wnaeth o ddim strancio na phwdu. Neb wedi gollwng y gath ac roedd y ddau fardd buddugol – Ceri Wyn a Cen Williams – yn enwau dieithr i nifer ohnom. Roedd cwrw ar werth yn y Maes Ieuenctid. Ac ni fu helynt!

Fe gafwyd ambell ysgytwad yn hwyr nos Sadwrn ond erbyn hynny roedd y wasg wedi hen ddiflannu. Elen Rhys yn cael canmoliaeth uchel am adrodd 'Llam y Cariadon' gan Tecwyn Lloyd. Ond y wobr yn mynd i rywun arall! Ac roedd yna anghytuno hefo'r Rhuban Glas – ni ddywedwyd pam ac ni chawsom wybod pam mai'r bariton enillodd. Y gynulleidfa yn huawdl yn ei distawrwydd, pawb eisiau esboniad. Ond roedd bois y wasg wedi mynd adre.

Rhuthro adre bob nos i fynd i weld Cliff yn y sbyty ac yr oedd yn llawn chwilfrydedd. Pwy weles i? Beth ddwedodd pwy? Eistedd yn yr ardd nos Sul olaf yr ŵyl hefo potel o win yn gwrado ar y Gymanfa Ganu. Ac yna daeth andros o storm o fellt a tharanau.

Awst 11

Wedi cael cryn dipyn o helynt hefo'r gwasanaethau cymdeithasol. Bygwth camau cyfreithiol os na ddatgelaf faint o bres sydd gen i. Yn ôl cyngor a gefais ym mhabell y Cynhalwyr ar y Maes yr wythnos diwethaf nid oes gan y sir hawl i ofyn i mi faint o bres sydd gen i yn y banc. Os daw Cliff adre, meddent, bydd rhaid i mi dalu am gymorth gweithwyr cymdeithasol. Ond yr wyf dloted â llygoden eglwys ar hanner pensiwn athrawes.

Awst 20

Daeth Cliff adre o'r diwedd! Ond bydd yn rhaid iddo fynd yn ei ôl ymhen deuddydd gan ei bod yn Ŵyl Banc ac nid yw'r gofalwyr yn gweithio. Cefais andros o drafferth ei roi ar yr hoist gan nad yw hwnnw'n medru symud ar garped. Ddywedodd neb hynny wrthyf. Da i ddim felly. Methodd y gofalwyr ei symud chwaith.

Awst 22

Yn ei ôl yn yr ysbyty. Nyrs yn fy ffonio hanner nos yn dweud bod Ciff yn crio – y truan yn meddwl ei fod wedi cael ei anfon yn ôl am ei fod yn marw. Ond cefais y gwir ganddo bore wedyn. Roedd nyrs wedi dweud wrtho, 'Oh! You're back, are you? I knew your wife wouldn't cope,' ac fe'i trawodd hi . . . Mae o'n llawn gofid am fod rhywun wedi dweud wrtho y bydd rhaid iddo fynd i gartref hen filwyr. Be nesa? Ar y llaw arall gwelir arwyddion o'r hen hiwmor pan ofynnodd i mi ddod â gwn iddo. 'I be?' gofynnais. 'I saethu'r cwc,' meddai.

Awst 31

Diwrnod anhygoel. Diana wedi'i lladd mewn damwain ym Mharis – hefyd lladdwyd ei chariad, Dodi al Fayed, a gyrrwr y car. Edrych yn debyg bod y *paparazzi* y tu allan i'r Ritz ac i'r car geisio dianc oddi wrthynt ar sbid uchel. Fu dim byd arall ar y teledu drwy'r dydd. Ac mae hi'n stori fawr gan fod Diana yn boblogaidd.

Hydref 1

Diolch byth bod mis Medi drosodd. Wedi bod yn hunllef. Daeth Cliff adre ar y 1af – adre o'r diwedd! Roedd wrth ei fodd ond roedd pethe'n anodd o'r cychwyn gan nad wyf yn medru ei godi, a'r hoist yn lletchwith dros ben. Dwy awr y dydd o help gan y gwasanaethau cymdeithasol ond dim byd yn y nos, ac mi syrthiais i lawr y grisie wrth redeg ato pan oedd yn gweiddi. Ac mae'n gweiddi drwy'r amser. Galar mawr hefyd wedi marwolaeth Diana, a Llundain yn llawn blodau. Gwylio'r angladd ar y teledu ac roedd Cliff yn ei ddagrau wrth weld y ddau fachgen bach yn cerdded y tu ôl i arch eu mam. Dywedir bod tair biliwn wedi gwylio'r gwasanaeth yn Abaty Westminster. Brawd Diana yn dweud pethe pigog iawn am y wasg a'r teulu brenhinol.

Yna, ganol nos y 9fed cafodd boen ofnadwy a bu rhaid gyrru am ambiwlans ac i ffwrdd ag o i Ysbyty Glan Clwyd. Meddyg yn dweud ei fod wedi cael trawiad ar ei galon ac nad oedd gobaith iddo ddod ato'i hun. Angen sgan ar frys meddai. Eu syniad nhw o frys oedd deg awr. A chwe diwrnod i gael y canlyniad. Ac nid oedd wedi cael trawiad o gwbl! Achos y boen oedd cerrig bustl. Ac rŵan mae o wedi cael y cryd melyn ac mae'n rhy wan i gael triniaeth. A stori newydd wedyn – mae ganddo *aneurysm*. Wythnos yn ddiweddarach nid oedd neb wedi meddwl dweud wrth Cliff nad oedd wedi cael trawiad ac roedd yn poeni am y peth. Pan ddywedais wrtho ei ymateb oedd 'We-hey!' Yng nghanol hyn i gyd syfrdanwyd Rhuthun gan farwolaeth John Ambrose, prifathro Ysgol Brynhyfryd, yn 52 oed. Colled enfawr. Mae wedi bod yn ysbrydoliaeth. Penderfynu peidio dweud wrth Cliff ond mi agordd rhywun ei geg ac fe griodd Cliff am orie a beio'r arolygwyr.

Wedyn, ar y 19eg roedd yn Refferendwm Dweud Ie dros Gymru. Roeddwn yn bryderus dros ben ac yn ofni i bethe fynd o chwith. Gwylio'r teledu ac erbyn tri y bore roedd Jonsi a fi yn ein dagrau. Yna daeth canlyniad Caerfyrddin a rhoddais y fath floedd wrth gicio'r nenbren fel y bu bron i Jonsi Cath Ni a Pwt Cwningen Drws Nesa a Nel Gast Rhydonnen oll neidio o'u crwyn. Trwch blewyn o fuddugoliaeth, diolch i Gaerfyrddin. Rhif cyfrin Cymru o hyn ymlaen fydd 6721 – dyna'r mwyafrif!

Ffonio'r ysbyty bore i ofyn i nyrs roi neges i Cliff 'bod Cymru wedi dweud Ie.' 'Whaddya mean?' medde hi. Ni wyddai ddim am y peth a chafodd Cliff mo'r neges chwaith. Ar y 19eg daeth yn ôl i Ysbyty Rhuthun yn edrych fel drychiolaeth. Ac rwyf yn teimlo fel pe bawn wedi crebachu'n llwyr. Ac mae Cliff wedi mynd yn fach ac yn hen. A cherddais i mewn i weld dwy nyrs yn sgrechian arno am golli ei gawl. Eisteddais yng nghornel y corridor a nadu dros y lle. Mae o'n ffwndro'n ddychrynllyd ac mae hynny'n frawychus dros ben.

Hydref 18

Parti i ffarwelio i Helen Mair, merch Bryn a Fanwy, sydd yn cychwyn ar daith warbacio i Awstralia. Mae pawb wrthi. Rwyf yn eiddigeddus iawn na chefais i gyfle i wneud rhywbeth tebyg yn eu hoed nhw. Nid oedd yn rhan o'r patrwm yr adeg honno ac roedd pres yn brin. A gwn beth fyddai Nhad wedi'i ddweud, 'Cer i ennill dy fara menyn, ngeneth i – a tithe wedi cael blynyddoedd o addysg!' Fanwy wedi gwneud teisen ar siâp Awstralia, a dau gangarŵ arni. Roeddynt wedi hopio i rywle cyn diwedd y noson.

Hydref 31

Y meddyg yn dweud bod Cliff yn llawer gwell ac y caiff fynd adre cyn hir. Dedfrydu Louise Woodward o Swydd Gaer i garchar am oes am lofruddio plentyn bach yn Boston. Aeth y byd yn wallgof gan nad oes fawr neb yn meddwl ei bod yn euog. Roedd ei gwaedd o ing wrth glywed y ddedfryd yn sŵn na ellir ei anghofio. Gwn un peth, nid yw teledu achosion llys yn syniad da.

Tachwedd 7

Galwad ffôn o Ysbyty Gobowen yn gofyn a fedr Cliff fynd yno er mwyn iddynt gael tipyn o'i waed fel y gallant ddefnyddio asgwrn y glun sydd ganddynt yn y banc. Wel, am ddigywilydd. Ofnaf i mi fod yn swta dros ben hefo'r eneth ar y ffôn. Wrth gwrs, nid oedd ganddi hi syniad beth oedd wedi digwydd . . .

Tachwedd 11

Cliff yn 78 oed heddiw a chawsom barti. Wyth ohonom, a llwyddodd i agor y botel siampên hefo un llaw! Buddug wedi gwneud teisen iddo fo. Mewn hwyliau da. Cafodd ei bwyso. Wythnos yn ôl roedd wedi colli chwe phwys. Heddiw mae wedi ennill deg pwys! Rwyf yn mynd i'r ysbyty deirgwaith y dydd ac yn y min nos yn eistedd o flaen fy sgrin ben-glin ac yn sgwennu 'Pobol sy'n Cyfri' sef hanes pentrefi dalgylch *Y Bedol* fel roeddynt yn cael eu portreadu yng Nghyfrifiad 1881 ac 1891.

Rhagfyr 1

Ffermwyr yn protestio. Maent yn methu gwerthu eu cig eidion ac yn gorfod edrych ar gig estron yn llifo i mewn. Nid wyf yn deall sut y medr neb gyfiawnhau rhoi biff o ben draw'r byd i blant ysgolion Sir Ddinbych – cig o wledydd lle mae clwy'r traed a'r genau, diciâu a *rinderpest* yn rhemp. Pwy all guro cynnyrch Dyffryn Clwyd? Welais i eioed fuwch wallgof yma.

Rhagfyr 3

Flwyddyn i heddiw y cafodd Cliff ei glun newydd a strôc. Pam na fuasai rhywun wedi ein rhybuddio bod hyn yn digwydd yn aml yn dilyn triniaeth o'r fath? A fyddai gwybod wedi gwneud gwahaniaeth? Roedd yn y fath boen ac yn gloff ers misoedd ac roedd yn rhaid gwneud rhywbeth. I'w weld pnawn a dyma ei eiriau: 'Mae hi'n ben-blwydd y diwrnod du heddiw.' Sut ar y ddaear yr oedd yn cofio, ni wn. Nyrs yn dweud ei fod wedi troi'r gornel a charlamais adre wedi llonni drwof.

Rhagfyr 4
Cyfarfod staff yr adran ffisiotherapi yn ystod y bore. Dweud wrthyf fod coesau Cliff yn barod i gerdded ond nad yw ei ymennydd yn gwybod hynny. Awgrymu mai'r peth gorau i'w wneud fyddai iddo ddod adre'n raddol, a hynny'n rhoi cyfle i'r ddau ohonom ddygymod ag anawsterau, yn hytrach na chael ein taflu i'r dwfn fel a wnaed fis Medi.

Rhagfyr 5
Rywsut neu'i gilydd mae pob diwrnod wedi bod yr un fath am flwyddyn gron: deffro, ffonio'r ysbyty, mynd i'r ysbyty, yn ôl i'r ysbyty, sgwennu, mynd i'r gwely. Ac nid wyf wedi methu anfon colofn i'r *Western Mail* ac i'r *Cymro* bob wythnos. Therapi da. Mae unrhyw newid ar y patrwm yn magu egni ac felly y bu hi heddiw. S4C yn rhoi cinio i'r wasg yn 'Llygaid Rhuthun'. Mwynhau fy hun yn ffantastig. Nid oedd modd i griw'r cwmni wybod cymaint roedd hyn yn ei olygu i mi. Fy nghyfnither Eira o Wrecsam (sydd hefo Sain y Gororau) yn mynd â fi i'r ysbyty ddiwedd y pnawn a Cliff mewn dagrau yn methu deall ble roeddwn a'r nyrs wedi anghofio dweud wrtho y byddwn yn hwyr. Roedd eisiau gwybod yr holl fanylion: pwy welais, beth ddywedwyd.

Rhagfyr 8
Pnawn hyfryd yn yr ysbyty. Plant Ysgol Rhuthun yn canu carolau. Cliff yn mwynhau ymwelwyr; mae o'n cael peth wmbredd – o leiaf chwech bob dydd. Diolch i bawb am fod mor deyrngar, yn arbennig gan fod Cliff yn ffwndrus ac yn dweud pethe rhyfeddol ar brydiau. Megis ei fod wedi bod yn claddu'r Frenhines Victoria. Neu fod awyren y Tywysog Ibrahim yn aros y tu allan i fynd ag o i Saudi i gael triniaeth ddrud a thalu am nyrs llawn amser adre. Daeth ei hen ffrind coleg heddiw, Gwilym Griffiths o'r Rhos. A daeth Gwyn a Lisa – wyneb Cliff bob amser yn goleuo wrth eu gweld nhw

eu dau. Cododd safon y canu pan ymunodd llais tenor Gwyn yn y carole.

Rhagfyr 12
Diwrnod braf a Cliff eisiau mynd i'r dre, felly i ffwrdd â ni yn ei gadair. Roedd eisiau prynu f'anrheg Nadolig a chefais gôt. Dyma'r tro cyntaf iddo fo sgwennu siec ers blwyddyn! Cefais drafferth i'w berswadio i beidio mynd i'r siop wyliau i archebu mordaith yn yr hydref. Yna joch o ddŵr oer. Y meddyg yn dweud wrthyf na chaiff ddod adre dros y Nadolig, bod angen gofal 24 awr arno. Ond mae'r nyrsys yn dweud ei fod yn well, medde fi. 'They are wrong,' meddai a cherdded i ffwrdd.

Rhagfyr 19
Ffion Jenkins yn priodi William Hague ac yn edrych yn ddel iawn mewn gwisg môr-forwyn. Priodi yn y crypt yn Nhŷ'r Cyffredin – y fan lle bu Guto Ffowc yn cuddio'r ffrwydron. Y meddyg yn newid ei feddwl – caiff Cliff ddod adre dros y Gwylie.

Rhagfyr 22
Cawsom barti heddiw yn yr ysbyty am ddau reswm. Mae Ben yn wyth oed a 26ain phen-blwydd ein priodas ni. Pawb yn hapus. A heno, toc wedi naw, galwad ffôn yn gofyn inni fynd lawr i'r ysbyty ar frys. Meddwl bod Cliff wedi cael strôc. Erbyn inni gyrraedd roedd yn anymwybodol ac wedi'i barlysu. Y meddyg yn rhoi 24 awr iddo. Aros yno drwy'r nos.

Rhagfyr 25
Nadolig nas anghofiaf. Nid yw wedi symud nac ymateb. Euthum adre i agor y parseli o dan y goeden hefo Ben druan, ond heblaw am hynny nid wyf wedi symud oddi wrth ei wely. Siarad hefo fo'n ddiddiwedd. Ei lygaid yn hollol lonydd.

Rhagfyr 28

Ddeunaw mlynedd i heno roeddym yn treulio ein noson olaf yn y fflat yn Llundain cyn dod i Ruthun i fyw, a heno am 11.15 collais fy llencyn llygatlas. Am hanner awr wedi deg arafodd ei anadlu ac yr oedd Lesley a fi yn gafael yn ei law pan roddodd ei anadl olaf. Nid wyf erioed wedi teimlo tawelwch tebyg. Syrthiodd y ddau ohonom mewn cariad ar amrantiad. Un edrychiad ar draws ystafell yr athrawon, 15 Hydref 1969. Roeddwn yn eistedd yno, yn aelod newydd o'r staff, pan ddaeth un o'r penaethiaid i mewn: gŵr ysgafn droed, penfelyn hanner cant oed a'i lygaid glas yn troi fel ar un llinyn ac edrych arnaf. O'r eiliad honno nid oedd yr un dyn arall ar wyneb daear o ddiddordeb i mi. Ac yn y sgwrs gyntaf, darganfod ei fod yn dod o Queensferry yn Sir y Fflint a'i fod wedi bod yn y Coleg Normal. Cefais chwarter canrif o hwyl a gwynfyd yn ei gwmni. A dyma fo wedi mynd. Beth ar y ddaear wnaf i hebddo?

Rhagfyr 31

Sylweddoli mai yn ei angladd y byddaf yn gwisgo fy nghôt newydd am y tro cyntaf.

1998
Torri f'adenydd

Ionawr 5
Mae hi wedi bod yn wythnos galed ac roedd heddiw yn un o ddiwrnodau duaf fy mywyd. Methu'n lân â dygymod â'r ffaith fy mod wedi colli Cliff ac na chaf ei weld byth eto. Deffro bob bore ac yn sydyn fel llafn cyllell cofio beth sydd wedi digwydd ac yn gorfod yn dweud yn syn ac yn uchel: 'Mae Cliff wedi marw.' Ydy o'n wir? Ydy mae'n rhaid, oherwydd mae hysbysiad wedi bod yn y papur ac mae dwsinau o lythyrau a chardiau yn cyrraedd bob bore. Mi fyddai'n synnu pe gwyddai fod gan bobl gymaint o feddwl ohono. Llawer yn ymddiheuro am na fedrant ddod heddiw: mae hi'n ddiwrnod mynd yn ôl i'r gwaith wedi gwylie'r Calan. Gwasanaeth i ddiolch am ei fywyd yn y Tabernacl. Pawb yn dweud bod y canu'n wych ond chlywais i mohono. Cysgodion ym mhob man. Mae galar yn beth hunanol iawn. Nid oedd ots gen i sut roedd neb arall yn teimlo: ei ferch, ei ŵyr, ei frawd, ei chwaer; ni allwn wneud dim heblaw meddwl am fy nhristwch fy hun. Fi oedd mewn ing. Fi oedd bron â drysu o hiraeth. Gwyn Erfyl roddodd y deyrnged. Crynu fel deilen ym mynwent Sant Meugan wrth weld fy llencyn llygatlas yn cael ei roi mewn twll yn y ddaear, mewn llecyn hardd yn wynebu Moel Fama. Roedd ganddo feddwl o'r moelydd, a meddwl hefyd o'r chwe nai a gludodd ei arch: John a Michael Coppack, David Owen Jones, Edward Treloar, Ioan ac Alun Jones. Pawb yn glên, pawb yn dweud eu bod yn gwybod sut wyf yn teimlo. Go brin. Fi oedd ei dywysoges o a neb arall.

Ionawr 9

Rydw i o'r diwedd wedi dod i lawn ddeall ystyr y gair 'beichio'. A gwn hefyd ystyr yr ymadrodd 'calon drom'. Mae'n gas gen i ddeffro ac af i'r gwely'n gynnar i gael anghofio'r byd a phopeth sydd ynddo. Ond mae'r beichio'n frawychus. Mae fel dioddef o'r pas a methu cael fy ngwynt. Ceisio gwneud pethe normal – cadw'n brysur – dyna'r cyfarwyddyd a gaf o wahanol gyfeiriadau, ond fedraf i ddim canolbwyntio ar ddim byd. Mi wnes ryw ymdrech heddiw i ddarllen proflenni'r *Bedol* ond y tu mewn yr oedd yna deyrnged iddo. Mynd yn deilchion unwaith eto. Siŵr gen i nad yw'r rhan fwyaf o'r darllenwyr yn gwybod ei fod wedi chwarae rygbi dros ysgolion Cymru, wedi bod yn y Coleg Normal, wedi bod yn reffarî pêl-droed rhyngwladol, wedi bod yn Ynad Heddwch. Rydw i eisiau i bawb wybod popeth amdano fo. Nid priod cariadus a thad ardderchog yn unig oedd o, ond roedd hefyd yn dipyn o foi.

Ionawr 10

Aeth Lesley yn ôl i Bortiwgal. Teimlo drosti. Fi sydd wedi cael yr holl sylw ond mae hithau hefyd mewn galar. Y hi a'i thad yn ddau enaid hoff, cytûn. Diolch bod ganddi swydd gyfrifol fydd yn mynd â'i meddwl. Diwrnod braf iawn a cherddais hefo Bryn a Fanwy i ben Moel Fama a sefyll ar ben Tŵr y Jiwbili a gweld y byd yn ymledu o'n blaenau – Dyffryn Clwyd ac Eryri, Sir y Fflint a Chilgwri. Mae rhai pethe'n ddigyfnewid.

Ionawr 18

Aeth tair wythnos heibio ac mae llythyrau'n dal i gyrraedd – wedi cael dros chwe chant erbyn hyn. Maent yn gysur mawr. Yn cyrraedd o bob cyfeiriad. Nifer yn cyfeirio at ei wên a'i gwrteisi. Un yn dweud mai fi oedd ei 'haul a'i leuad'. Un arall yn dweud na welodd erioed o'r blaen ddau yn byw fel uned berffaith. Llawer yn sôn am ei hiwmor a'i stôr ddiddiwedd o straeon. Rydw i'n teimlo fel pe bai rhywun wedi torri f'adenydd, wedi rhoi carreg yn fy stumog.

Ionawr 22

F'annwyl chwaer, Helen, yn cyrraedd unwaith eto. Beth fuaswn wedi'i wneud hebddi hi a 'nau frawd. Helen bob amser mor ymarferol, yn gweld beth sydd angen ei wneud: paratoi pryd o fwyd a mynd â fi i wneud fy ngwallt, symud blodau marw oddi ar y bedd. Mynd â'r arian a gasglwyd i Gronfa Cyfeillion Ysbyty Rhuthun, lle bu Cliff am flwyddyn fwy neu lai. Mae'r ysbyty bach yma mor bwysig i'r gymuned. Yng nghanol yr hiraeth llethol rwyf yn cael pyliau dychrynllyd o euogrwydd. Roeddwn wedi meddwl yn siŵr y byddai'r meddygon yn Ysbyty Gobowen wedi'i anfon adre i golli pwysau cyn mentro rhoi llawdriniaeth iddo. Byddai wedi gwrando arnyn nhw. Mi ddylwn i fod wedi mynnu. Mi ddylwn hefyd fod wedi gwrando ar y 'vibes' wrth ei adael yno 3 Rhagfyr 1996. Pam na wrandewais i ar fy ngreddf? 'Dwyf i chwaith ddim wedi cael ateb i'r cwestiwn: pam na wnaed dim am ddeunaw awr? Mae'r chwe awr cyntaf ar ôl strôc yn hollbwysig, meddir. Mi ddylwn fod wedi protestio, cael sterics, gweiddi mwrdwr. Wnes i ddim a byd rhaid i mi fyw hefo'r amheuon.

Chwefror 4

O, be nesa? Buddug yn ffonio i ddweud bod Alan wedi syrthio drwy'r to ac wedi brifo'n arw. Gwynt nerthol y Nadolig wedi gwneud difrod i un o adeiladau'r fferm ac aeth ati i'w drwsio, ond aeth drwy'r asbestos ac i lawr ugain troedfedd. Bu ar lawr yn methu symud am hydoedd. Wedi anafu ei gefn ac mae yn Ysbyty Glan Clwyd ond yn cael ei symud fory i Gobowen. Mewn poen ofnadwy. Methu credu: mae o'n fachgen arbennig o ofalus ond peth fel yna ydy damwain – digwydd mewn chwincied.

Chwefror 6

Mae Alan mewn sioc ar wastad ei gefn. Felly bydd o am chwe wythnos, meddir wrthym. Wedi malu dwy fertebra. Tymheredd uchel. Ar ocsigen. Mewn poen. Yn poeni am y fferm. Dim ond ugain oed yw Ioan, ei fab. Druan o Buddug – fferm fawr a phedwar o blant.

Chwefror 11

Nid yw Alan yn bwyta ac mae'n cael trafferth cysgu. Wedi arfer hefo tawelwch y dyffryn, ond ar y ward mae yna fynd a dod diddiwedd heb sôn am ambell chwyrnwr o fri. Ond mae o fymryn yn well. Bydd y traed yn fwy o broblem na'i gefn, medden nhw, gan fod y codwm wedi amharu ar y nerfe ynddynt. Mae gen i ddigon ar fy mhlât – cyrhaeddodd un cyfrol ar ddeg i'w beirniadu yng nghystadleuaeth y Fedal Ryddiaith, Eisteddfod Pen-y-bont ar Ogwr. Dyna rywbeth i 'nghadw'n ddiddig. Mae Enoch Powell wedi marw. Cefais sgwrs yn Gymraeg ag o unwaith yng nghwmni T. W. Jones a'i frawd, James Idwal, pan oeddynt yn Aelodau Seneddol.

Chwefror 20

Mae Alan yn gwella'n araf deg. Arwydd o gymdogaeth dda – mae yna rywun ar gael bob dydd i fynd â Buddug i'w weld. Ym Mhlas Madog, Acrefair, heno ar banel *Pawb a'i Farn* hefo Elfyn Llwyd, Gareth Thomas a Stifyn Parri. Cael cwestiynau ar Irac, y Seiri Rhyddion a bwyta yn y theatr. Ymddengys bod actorion yn dechrau dweud y drefn am y modd y mae pobl yn ymddwyn mewn theatr. Gwn yn iawn gan fy mod yn cofio'r hunllef o fynd â phlant Llundain i weld drama neu gyngerdd; nid oedd ganddynt y syniad lleiaf sut i fihafio – bwyta, yfed, siarad a chwerthin. Rhaglen fywiog. Gwylio'r rhaglen ar y fideo wedi dod adre a sylweddoli fy mod wedi heneiddio.

Chwefror 23
Y meddyg yn dweud y bydd Alan ddwy fodfedd yn fyrrach o hyn ymlaen oherwydd y jerio ar asgwrn ei gefn. Yn dangos cymaint o glec gafodd o.

Mawrth 1
Rhoi cennin Pedr ar y bedd ac wedyn allan i de i Fodysgallen hefo fy nhair cyfnither, Meta, Josie ac Iris – gan fod Iris yn cael ei phenblwydd heddiw. Te bendigedig mewn lle bendigeig. Gorymdaith fawr yn Llundain – chwarter miliwn yn protestio yn erbyn yr hyn sydd yn digwydd i gefn gwlad: ffermwyr mewn argyfwng, y Llywodraeth yn bygwth atal hela hefo cŵn. Rwyf yn erbyn hela. Côr Godre'r Aran wedi canu yn Lisbon neithiwr i ddathlu gŵyl ein nawddsant a Lesley ar y ffôn i ddweud eu bod wedi canu'n wych a'i bod hi wedi eistedd ar yr un bwrdd cinio â Beti Puw (Richards), Cynythog!

Mawrth 6
Glenys Mai wedi marw – hen ffrind coleg glên o Benrhyndeudraeth. Hithau'n weddw ers tro ond cawsom lawer sgwrs gall erstalwm.

13 Mawrth
Cael gwybod mai yng Nghaerdydd y bydd y Cynulliad. Yn y fan honno y dylai fod neu beth yw pwynt cael prifddinas? Alan a Buddug yn gweld arbenigwr heddiw. Maent yn poeni'n arw am ei draed ac yn amau na wnaiff o byth gerdded. Wn i ddim beth mae ein teulu ni wedi'i wneud i haeddu blwyddyn mor uffernol.

Mawrth 22
Sul y Mamau, a daeth tusw enfawr o flodau bendigedig bob cam o Bortiwgal ddoe gyda cherdyn 'To dearest wicked

stepmother'. Chwarddais am y tro cyntaf ers deuddeg wythnos. Mynd i weld Alan ac roedd yn eistedd yn dalsyth ac yn edrych yn well o lawer ond yn andros o lwyd. Gadael neges ar beiriant ateb Lesley; 'Wicked stepmother thanks you for the dandelions'.

Ebrill 4

Mae Lesley wedi cael swydd pennaeth yr Ysgol Brydeinig yn Washington DC. Edrych ymlaen at ymweliad!

Ebrill 9

Cafodd Alan ddod adre am y penwythnos ac roedd uwchben ei ddigon ac yn medru symud o gadair i gadair.

Ebrill 28

Wedi bod yn brysur iawn rhwng popeth ac mae'n wych gweld Alan yn cryfhau bob dydd. Recordio rhifyn o *Manylu* yng ngwesty'r Castell heno hefo Gwilym Owen a giang o wleidyddion, a chlywed bod Meurwyn Williams, gŵr Carys Pugh, wedi marw yn 57 oed.

Siaradwyd Cymraeg yn y gofod gan Dafydd Rhys Williams, astronôt o Dexas ond ei dad o Fargoed. Clywed jôc ar y radio. Beth yw nefoedd? Lle mae'r Almaenwyr yn trefnu, y Ffrancwyr yn coginio, y Swis yn cadw'r cyfrifon, yr Eidalwyr yn canu a'r Prydeinwyr yn rhedeg yr heddlu. A beth yw uffern? Lle mae'r Eidalwyr yn trefnu, y Ffrancwyr yn cadw'r cyfrifon, y Prydeinwyr yn coginio, y Swis yn canu a'r Almaenwyr yn rhedeg yr heddlu.

Mai 7

Jonsi'n sâl ac yn chwydu mewn pedwar lle.

Mehefin 8

Cerdyn o Fflorens gan John ac Ann Pencader, wedi cyfarfod

Catrin Puw Davies (Morgan gynt) ar risiau'r Uffizi! Alan yn cerdded ar eu faglau. Dod ymlaen yn dda.

Mehefin 27

Mae pawb yn cael un. Hynny yw, aduniad ysgol. Tro Ysgol Gwyddelwern yn Edeyrnion oedd hi heddiw. Daeth rhyw gant a deugain ynghyd a chafwyd sŵn tebyg i ffair wydde. Methu credu bod yr ystafelloedd mor fach. Roedden nhw'n anferth hanner can mlynedd yn ôl. Yn wahanol i mi. Roeddwn i'n fechan yr adeg honno ac yn anferth hanner can mlynedd yn ddiweddarach.

Ar ôl y clegar a'r gwichian wrth ysgwyd llaw hefo hen wynebau, dyma fynd i neuadd y pentre (oedd ddim yn bod erstalwm) am bryd gwerth chweil wedi'i baratoi gan Janet Lewis, un o blant y fro. Yr ham a'r samon a'r salad reis a'r proffiterol yn berffaith! Yr un oedd wedi teithio bellaf oedd John Hywel, Melin y Llwyn, ddaeth bob cam o Halifax, Canada, a'r ddau hynaf yno oedd y brodyr Tegid a Haydn Jones gynt o Bant y Tonnau, y ddau yn eu nawdege. Areithiau da hefyd, yn cynnwys un gan y cyn-brifathro, Ifor Owen (Llanuwch-llyn). Pan benodwyd ef yn 1948, y peth cyntaf a welodd ar wal ei stafell oedd enfawr o lun mewn ffrâm o'r Frenhines Victoria. Sôn am gadach coch i darw! Ac yna meddai, 'Fu hi ddim yno'n hir!'

Gorffennaf 6

Lesley wedi gorffen yn yr ysgol yn Lisbon ac yn pacio i fynd i Washington DC. Pan ddywedodd wrthyf ddeufis yn ôl ei bod wedi cael swydd prifathrawes ar yr Ysgol Brydeinig gyntaf erioed yn America (a hynny allan o gant a hanner o ymgeiswyr), y peth cyntaf a ddywedais wrthi oedd pa mor falch fyddai ei thad. Byddai fel ci hefo deg cynffon. Mae yna rywbeth bob dydd sydd yn gwneud i mi feddwl, 'Mae'n rhaid i mi ddweud wrth Cliff' ac yna daw'r cwmwl du ar f'ysgwydd unwaith eto. A'r newydd heddiw yw bod Eirian Davies wedi marw. Dyn hynaws, llawn hiwmor, dyn cyfoes ar goll yn y byd modern. Ateb llythyr gwraig o dalaith Maine, UDA, oedd wedi gofyn i mi edrych am fedydd ei hen daid yn Nerwen. Bu rhaid i mi ddweud wrthi ei fod yn blentyn siawns. Rhaid ymwroli os ydych eisiau hel achau.

Gorffennaf 14

Mae hi'n bendramwmwgl yma; cael cegin newydd. Ar ben hyn mae Lesley a Ben yma am wythnos a bu rhaid mynd allan i fwyta. Alan wedi cerdded heb ei ffyn. Gwobr Côr y Byd yn Llangollen i'r Sirenians nos Sadwrn, a Ffrainc yn ennill Cwpan y Byd. Diweddglo boddhaol i wythnos wlyb.

Gorffennaf 21-25

Hanner cant ohonom yn mynd i lawr i Goleg Caerllion ar gwrs hanes dan nawdd Adran Efrydiau Allanol Prifysgol Bangor a'r anghymharol Gwynn Matthews yn ein tywys ar drywydd y Dadeni Dysg a'r Diwygiad Protestannaidd yng Nghymru, gan gychwyn yn Eglwys Llwydlo lle claddwyd calon Henry Sidney, Llywydd Cyngor y Gororau 1559-86. Yno hefyd mae beddfaen ei ferch, Ambrosia. Dychmyger y wawl nefolaidd a ymledodd dros gyfran helaeth o'r criw pan glywsant y gair 'ambrosia'. Medrech weld y cwestiwn 'Pryd mae cinio?' yn croesi sgrin eu llygaid. Castell Llwydlo wedyn, lle bu'r Tywysog Arthur a Chatrin o Aragon yn byw. Bu farw Arthur ac etifeddwyd yr orsedd gan ei frawd glwth, Harri VIII. Un o gwestiyne difyr petai a phetase yw: ym mha fodd y byddai cwrs hanes wedi'i newid pe bai Arthur wedi byw?

Lle diddorol hefyd yw Castell Dunwyd lle bu'r Americanwr cyfoethog William Randolph Hearst yn cogio bod yn uchelwr Cymreig. Coleg Iwerydd ydy o heddiw ac mae'n llawn o enghreifftiau gwych o gelfyddyd y Dadeni, ac yn yr eglwys fechan ar lan y môr y mae beddfeini rhai o'r teulu gwreiddiol, y Stradlingiaid a roddodd nawdd i Siôn Dafydd Rhys. Hen blasty Bewpyr wedyn – murddun oedd yn f'atgoffa o'r Plas Pren ar Fynydd Hiraethog. Yna i Abaty Margam ac eglwys enfawr Sant Pedr yng Nghaerfyrddin lle dedfrydwyd Richard Ferrar i farwolaeth. Uwch pryd o fwyd ardderchog yn y Falcon aeth pawb yn fud o glywed am farwolaeth y Dr Tudur.

Y diwrnod olaf buom yn Llancaiach Fawr a chael ein tywys o gwmpas gan bobl yng ngwisgoedd y Rhyfel Cartref, yng Ngholeg Crist, Aberhonddu, ac yn eglwys fechan syml Llanafan Fawr, lle claddwyd Thomas Huet a gyfieithodd Lyfr y Datguddiad i'r Gymraeg. Swper gwych yn yr Hand yn y Waun ac adre wedi cael wythnos brysur ac ardderchog. Gwnaeth fyd o les i mi. Er hynny, braf cael bod adre a chael y fath groeso gan Jonsi. Mi ganodd ei chrwndi fel rhyw foto beic bychan ar droed y gwely drwy'r nos. Mwynheais gwmni pawb oedd ar y daith ac roeddynt yn glên iawn bawb. Nid arnen nhw yr oedd y bai fy mod yn teimlo mai cysgodion oeddent a 'mod i'n teimlo'n felltigedig o unig. Aeth saith mis heibio ac yr wyf yn teimlo fel tagu o hiraeth.

Gorffennaf 30

Ambell belydr yn torri drwy'r cwnwl. Y Frenhines yn arwyddo Mesur Hunanlywodraeth i Gymru. Alan yn cerdded o gwmpas y tŷ heb ei ffyn ac Alun fy nai sydd wedi bod yn gweithio yn Epping Forest am flwyddyn wedi cael swydd yn Sir Ddinbych fel is-warchodwr ar y Berwyn.

Awst 3

Bob blwyddyn yr wyf yn ysu am fynd i'r Steddfod ond eleni roedd arnaf ofn: ofn wynebu pobl am y tro cyntaf ar ôl colli Cliff; ofn caredigrwydd y bobl roedd yn hoff ohonyn nhw; ofn methu canolbwyntio ar dasgau y bydd rhaid i mi eu cwblhau erbyn diwedd yr wythnos. Ond mynd wnaeth Helen a fi gan aros hefo Rees a Mary yn Rhiwbeina. Glaw trwm, llynnoedd o ddŵr a phyllau o fwd ar y Maes ym Men-y-bont ar Ogwr. Ond coronwyd Emyr Lewis am yr ail waith gyda chanmoliaeth uchel.

Awst 4

Diwrnod heulog, ac awel gref yn sychu'r Maes. Geraint Vaughan Jones yn ennill Gwobr Goffa Daniel Owen am nofel o'r enw *Semtecs* ac mae hi'n swnio jyst y peth wyf yn ei fwynhau – twyll, llofruddiaeth, serch, lladrad. Hynny yw, nofel 'pwy ddaru' go iawn. Lansio'r *Cymro* ar ei newydd wedd yn mhabell S4C, a phob lwc iddo.

Awst 5

Diwrnod mawr oedd yn gymysgedd o gyffro, balchder a thristwch. Tristwch oherwydd byddai Cliff wedi gwirioni'n lân wrth fy ngweld yn mynd ar y llwyfan fel un o feirniaid y Fedal Ryddiaith. Dyna anrhydedd annisgwyl ac yr wyf yn ei gwerthfawrogi. O leiaf dri ymgeisydd yn haeddu'r wobr. Ond Eirug Wyn gafodd hi am ei nofel ffantasïol, ddychanol, ddeifiol a doniol *Blodyn Tatws*. Ar ôl y seremoni, rhuthro i wneud pwt i'r camera hefo Nia Lloyd Jones sydd yn gyfrderes ddwbl i mi, felly yr oeddwn yn reit hapus. Wedyn recordio darn i *Tocyn Wythnos* hefo Elinor. Meirion Evans yw'r Archdderwydd newydd. Bardd eto.

Awst 6

Ymryson 'Gair am Air' yn y Babell Lên bore – Meg Elis ac Arwel Hogia'r Wyddfa a finne yn nhîm y gogledd, a Tegwyn Jones yn beirniadu. Colli ddaru ni ond roedd tîm Bro'r Steddfod yn haeddu ennill – Caryl oedd y seren. Un o'r eitemau oedd cyfweliad rhwng Gwilym Owen a Llywelyn y Llyw Olaf. Chafodd Llywelyn mo'i big i mewn.

Cystadleuaeth arall oedd llunio arwyddair i'w roi ar borth y Cynulliad. F'ymgais i oedd 'NI GYN ASSEMBLI'.

Awst 7
Diwrnod crasboeth. Hywel Teifi yn darlithio ar 'Eisteddfodau yr hoffwn fod wedi bod ynddyn nhw' ac roedd yn ysgubol. Nid yw Steddfod yn Steddfod heb ddarlith gan Hywel. Yn Abertawe 1871, meddai, aeth corwynt â tho'r pafiliwn! Ataliwyd y Gadair heddiw. Mae hi'n mynd i'r Cynulliad.

Awst 8
Picio i'r Maes i gael y *Cyfansoddiadau* a chasglu Gwenno a Dafydd, ac adre â ni mewn gwres llethol dros y Bannau. Wedi mwynhau. Bydd yr wythnos nesaf yn anodd pan fydd pawb wedi mynd. Rwyf yn nabod nifer o weddwon, ac yn y gorffennol pan welwn nhw'n sgwrsio a chwerthin a chario ymlaen fel pe bai popeth yn normal nid oeddwn yn deall sut y medrent. Ond mi wn erbyn hyn. Rwyf inne'n mynd i lawr i'r dre ac yn sgwrsio ac yn chwerthin, ac wedyn yn dod adre a beichio crio a gweiddi 'Cliff!' dros y lle.

Awst 20
Wythnos od ar y naw. Bill Clinton yn cyfadde iddo odinebu, a 28 yn cael eu lladd gan fom enfawr yn Omagh a'r 'Gwir IRA' yn ymddiheuro. Efallai bydd y drychineb hon yn ysgwyd pobl. Gwenno wedi gwneud yn dda yn ei Lefel A (dwy A) ac yn mynd i'r brifysgol yn Lerpwl i wneud Tecstiliau a Mathemateg. Nid oes unlle yng Nghymru yn cynnig y cyfuniad yna. Bydd ei chariad, Dafydd, yn mynd i Aber. A'r ddau ar wahân am y tro cyntaf ers Blwyddyn 1 yn Ysgol Glan Clwyd. A chafodd Alan fynd i Sioe Dinbych a Fflint.

Medi 1

Yn yr archifdy drwy'r dydd a dynes o'r Bala yn cyrraedd a gofyn, 'Where do I put my pound?' Wedi cryn benbleth i bawb ohonom, mi eglurodd fod rhywun wedi dweud wrthi fod yna beiriant yn yr archifdy y medrid rhoi punt ynddo a byddai ei hachau'n llifo allan yn un rhibidirês. Mae'r peiriannau darllen meicroffish yn rhai digon clyfar ond fedran nhw ddim gwneud y gwaith olrhain achau drosoch chi chwaith! Bu pawb yn amyneddgar hefo'r wraig ond roedd yn anodd peidio anobeithio wrth ei gweld yn chwilio am ei henw ei hun yng Nghyfrifiad 1891 . . .

Medi 14

Dyma fi yn Llunden hefo Eirug Wyn, Eirwyn Williams, Roger Richards y dyn camera, Meurig Evans Sain, a Gwyddfid a gaffer. Dechrau ffilmio ar gyfer y rhaglen *Portreadau* y tu allan i Ysgol Kingsley, ger y King's Road lle y cychwynnais fel athrawes 9 Medi 1957. Ysgol Islamaidd i blant o Libya ydy hi heddiw ac felly ni chawsom fynd i'r buarth nac at y drws. Sefyll ar focs sebon tra oedd awyren swnllyd yn mynd dros ein pennau. Cofio'r brifathrawes hefo'r sbectol aur a'r aeliau fel *yak* yn meddwl fy mod yn rhannu fflat hefo fy Aunt Harriet. Dyna fel y clywai hi'r enw Angharad! Wedyn at siop Mary Quant, lle rhoddais fy nhrwyn ar y ffenest lawer gwaith heb fedru fforddio dim byd, ac yna gwneud darn i'r camera ar y Royal Parade ac wedyn at yr Albert Hall. Sôn am y cyngherddau gwych a gaem yno erstalwm. A chofio Ryan mewn cyngerdd Gŵyl Ddewi yn dweud ar y llwyfan: 'Hand I would like to thank Halbert for the use of 'is 'all.' Pryd o fwyd yn y Mondello, a Maria a Philipe yn drist pan ddywedais, 'Professore morte'. Wedyn i Cecil Court a ffilmio o flaen siop Griffs, i'r Clwb yn Gray's Inn Road, oedd yn fwrlwm yn y 60au, a fin nos i Soho a Chinatown. Diwrnod llawn!

Medi 15

Cychwyn yn King's Cross yn y glaw a fflimio yn mynd i fyny ac i lawr y grisiau symudol bum gwaith yn siarad hefo fi fy hun bymtheg yn y dwsin, a phobl yn edrych yn amheus arnaf; yna ar y platfform a ffilmio trên yn dod i mewn. Wedyn i Ysgol Islington Green a ffilmio yn 209, fy hen ystafell. Wedi cinio, am dro i Stryd y Fflyd, lle roedd gan *Y Faner* swyddfa erstalwm, ac yna i'r Senedd, lle bûm yn gweithio fel ysgrifenyddes i Ednyfed Hudson Davies am flwyddyn.

Medi 16

Adre erbyn hyn ac wedi mwynhau fy hun yn ymweld â rhannau o Lunden na ddychmygais y cawn eu gweld unwaith eto – Ysgol Kingsley, er enghraifft. Roedd yn andros o brofiad od. Heddiw buom yn fflimio yn fy hen ysgol gynradd yng Ngwyddelwern a sylweddoli mai wyrion fy hen ffrindie ysgol oedd yno erbyn hyn! A chael braw hefyd o glywed llond bwrdd o enethod bach rhyw chwech oed yn siarad Saesneg hefo'i gilydd.

Yna i Fynydd y Cwm, lle tyrchodd fy nhad ffordd ar ei draws er mwyn medru mynd â llaeth at y stand, a rhaid oedd mynd i Gefnmaen-llwyd, y fferm lle cefais fy magu. Dyna beth oedd atgofion yn fy ngwneud yn fud. A dyma Vaughan Hughes yn ffonio – mae rhyw nam ar y tâp a wnaed yn Llundain a rhaid mynd yn ôl!

Medi 17

Wedi ffilmio yn Rhydonnen ddoe, dyma ni yn y Bala heddiw yn Ysgol y Berwyn – hen ysgol ramadeg y merched, gan sôn am y brifathrawes frawychus Dorothy Jones, y 'tawelai adar yn swn ei throed'. Wedyn sôn am *Y Faner* yn hen ysgol Tŷ dan Domen wrth gwrs.

Medi 28

Gan mlynedd i heddiw bu farw Thomas Gee, ac aeth Buddug a finne i Ddinbych i ymuno yn y cofio. Yr Arglwydd Hooson yn agor yr arddangosfa yn y llyfrgell ac yn ein hatgoffa am gyfraniad arthurol Gee i fywyd Cymru. Roedd rhai o'i ddisgynyddion yno ond yn ddi-Gymraeg. Lansio cofiant i Gee gan Ieuan Wyn Jones. Noson dda ond llawer rhy hirwyntog. Pam ein bod fel Cymry yn mynnu dal i fynd ar ôl gorffen?

Hydref 5

Yn ôl i Lunden i wneud chwaneg o ffilmio a'r criw yn lleddf iawn am fod Siôn Pyrs wedi cael ei ladd yng Nghaernarfon nos Sadwrn. Tywallt y glaw a chafwyd cryn helynt yn ffilmio. Gwelais yr Arglwydd Longford ar King's Road. Mae o'n 93 a golwg reit ddryslyd arno. Criw gwahanol yn aros amdanom – Angus a Yuni – yn meddwl eu bod yn gwybod popeth ond nid oedd ganddynt syniad sut i fynd i King's Road a dyna nhw'n anelu am Highgate, y cyfeiriad arall. Wnaen nhw ddim gwrando arnaf chwaith – meddwl mai rhyw ffifflen o gefn gwlad Cymru oeddwn i, mae'n debyg. Collwyd oriau o waith, ond llwyddwyd yn y diwedd i ail wneud y darnau o King's Road, yr Albert Hall a Westminster.

Hydref 27

Newyddion syfrdanol. Mae Ron Davies wedi ymddiswyddo o'r Cabinet fel Ysgrifennydd Cymru. Roedd yn cerdded ar Gomin Clapham neithiwr a dechrau sgwrsio hefo rhyw Rastafarian, a'r diwedd fu i ddau neu dri ymosod arno a dwyn ei waled a'i gar. Pawb mewn penbleth. Pam mae'n rhaid iddo ymddiswyddo? Ac ar adeg mor dyngedfennol yn ein hanes? Mae Comin Clapham yn lle peryglus iawn. Cofiaf gredded ar ei draws yn y gwlith yn nhraed fy sane ar doriad gwawr ar ôl rhyw barti. Ond awn i ddim yno yn yr hwyr dros fy nghrogi. Druan o Ron.

Hydref 31

Mae stori Ron Davies yn dal i hawlio'r penawdau ac mae wedi gwneud datganiad yn dweud nad yw wedi gwneud dim byd anghyfreithlon heblaw ildio i 'funud o wallgofrwydd'. Ond mae helgwn y wasg felen yn ei erlid ac yn pardduo'r Cymry yn ei sgil.

Diwedd mis digon od a chollwyd nifer o bobl dda hefyd: Minwel Tibbott, Arfon Williams a'r Athro A. O. H. Jarman, ac hefyd Margot, priod fy nghyfaill Elwyn Evans, Llundain, gynt o'r BBC.

Tachwedd 19

Recordio rhaglen *Beti a'i Phobl* a chael trafferth i ddewis pedair record, ond yn y diwedd dyma gafwyd: Bill Haley, 'Rock around the Clock' (fflach o'm hieuenctid ffol), Shôn ac Eirlys Dwyryd yn canu deuawd cerdd dant (diolch am gyfeillgarwch), 'tocata' ar yr organ (am fod mor urddasol) a 'What a Wonderful World' hefo Satchmo (record y buom yn dawnsio llawer iddi). Llwyddodd Beti i fy ypsetio drwy ofyn braidd yn wawdlyd paham fy mod wedi mwrnio mor gyhoeddus. Aeth hyn â ngwynt yn lân. Efallai iddi ddifaru oherwydd cefais lythyr neis gan y cynhyrchydd yn diolch am fy ngonestrwydd.

Rhagfyr 25

Treulio'r Nadolig yn Garforth hefo Helen a'i theulu. Nid oeddwn yn gwmni da o gwbl. Blwyddyn wedi mynd. 'The future is not what it used to be,' meddai'r neges ar y calendr heddiw.

1999
Croesi'r 'Llyn'

Ionawr 20

Pwy sydd heb syrffedu ar delewerthwyr yn hwrjio ffenestri a dryse ac ati dros y ffôn? Rhaid iddynt wneud bywoliaeth wrth gwrs, ond yn wir mae eisiau gras weithiau. Dyma sgwrs gefais heddiw:

'Helo! Patric ydw i ac rydw i'n cynrychioli cwmni ffenestri hwn a hwn yn yr Amwythig'.

'Wel helô Patric! Sut hwyl? A sut mae dy fam?

'E?'

'A sut mae pethe yn yr Amwythig? Chi ddaru ladd Dafydd ap Gruffudd yndê?'

'Pwy? Ddaru neb ddeud . . . chlywais i ddim byd . . . pryd?'

'1283'

'O. Beth am y ffenestri 'ma?'

'Ugain mlynedd yn ôl mi brynais i lein ddillad a thŷ yn sownd wrthi ac mi roedd gan y tŷ ddryse a ffenestri fel rhan o'r fargen.'

'Beth am conserfatori 'te?'

'Mae William Hague yn un o'r rheiny, yn tydi?'

'Beth?'

'Conserfatori ydy William Hague'.

'Mae hyn yn *hopeless* . . . Rydw i'n nabod rhywun yn Rhuthun.'

'Pwy?'

'Y Bakers.'

'Ydyn nhw'n gwneud bara da?'

'Chefais i erioed sgwrs mor wallgof.'

'A does arnaf inne ddim eisio drws na ffenest na gwydr.

Ydech chi ddim yn digwydd gwerthu bwyd cathod?'
Y fo, nid y fi, roddodd y ffôn i lawr.

Ionawr 31

Codi cyn cŵn Caer i fynd i'r Wyddgrug ar gyfer y rhaglen *Llinyn Mesur*. Pwrcasu hanner tunnell o bapurau o siop Huw Ffowc a bustachu ceisio mynd trwyddyn nhw ar lawr y stiwdio, a dweud wrthyf fy hun a'r wal 'Byth eto!' Ond mi fyddaf yn dweud hynny ar ôl pob rhaglen.

Bu Ionawr yn fis o golledion – W. Mars Jones, R. Gerallt Jones, Moses J. Jones, Emyr Wyn Jones, Hubert Morgan, Dillwyn Owen.

Chwefror 2

Mae'r patio wedi mynd yn fistar arnaf. Gaeaf arbennig o laith a'r tŷ a'r coed o'i gwmpas yn golygu ei fod wedi mynd yn wyrdd a llithrig. Wedi tywallt pob math o hylif arno ond does dichon cael gwared o'r budreddi. A daeth Deddf Myrffi i rym. Os medr rhywbeth fynd o chwith, mi wna. Mae gen i beipen ddŵr wedi'i lapio fel peithon wrth y ffenest; fis Hydref roedd yn gweithio'n iawn. Heddiw, ei digordeddu, troi'r tap ac anelu. Ond nid oedd y chwistrell yn mynd i ble roedd yn edrych. Canys roedd twll ynddi. Tri. Cafodd ffenest y llofft y fath drochfa annisgwyl allan o un twll, a chafodd Jonsi gawod allan o dwll arall a barodd iddi refio rownd y gornel fel moto-beic a'i chynffon fel angor. Ac o'r trydydd twll cefais innau bistyll oer i fyny coes fy nhrowsus.

Chwefror 28

Wedi bod yn fis prysur ond daeth y mis bach i ben gan fynd â Meredith Edwards, O. M. Roberts ac Elfed Lewys oddi arnom – tri fyddai wedi bod uwchben eu digon yn cael gweld y Cynulliad yn agor ei ddrysau.

Mawrth 5

Tipyn o ias heno – cael cysgu yn hen gartref Elizabeth Watkin Jones, sef Garth Hudol yn Nefyn. Yn blentyn gwirionais ar *Luned Bengoch*. Dennis a Grace Roberts sydd yn byw yno rŵan a heno roeddwn yn annerch Cylch Llên Llŷn.

Ebrill 6-12

Criw ohonom yn mynd i Antwerp am wythnos gydag Adran Addysg Barhaol Prifysgol Bangor dan arweiniad Gwynn Matthews. Mynd drwy dwnnel y Sianel!

Gwesty da ar y sgwâr y tu allan i brif eglwys Antwerp a neuadd y dref a godwyd y flwyddyn y priododd Richard Clough a Chatrin o Ferain. Fflemeg yw'r iaith. Nid oeddwn wedi sylweddoli o'r blaen nad oedd y fath wlad â Belg yn bod tan 1830. Yn aml iawn, wrth gael eich tywys o gwmpas gan arweinyddion proffesiynol maent yn dangos yr hyn sydd yn bwysig iddyn nhw a'u gwlad nhw, ond diolch byth bod Gwynn yn medru mynd â ni i weld pethe sydd yn berthnasol i hanes Cymru, megis map Humphrey Llwyd o Gymru a argraffwyd gan Orteliws yma yn Antwerp – y map cyntaf o Gymru ac yn rhyfeddol o gywir. Yn Bruges cawsom weld arddangosfa Frank Brangwyn ac yn Villevand ymuno â gwasanaeth yn eglwys William Tyndale. Taith ardderchog.

Mai 5

Ar ddiwrnod olaf yr ymgyrchu etholiadol i'r Cynulliad daeth y newydd am farwolaeth Ioan Bowen Rees a weithiodd mor ddygn dros ddatganoli. Mor eironig.

Mai 7

Wel, dyna ddiwrnod cyntaf gweddill hanes Cymru, a bûm yn eistedd fel sached o beillied o flaen y teledu drwy'r dydd yn gwylio'r canlyniade'n dod i mewn. Yn gegagored wrth weld y Blaid Lafur a chwstard wy'n llifo i lawr ei hwyneb wedi colli Llanelli, ac Islwyn a'r Rhondda. Un o gwestiynau mawr Etholiad '97 oedd 'Welsoch chi wyneb Portillo?' Ond heddiw, 'Welsoch chi wyneb Helen Mary?' Roedd ei gorfoledd yn heintus pan enillodd sedd Llanelli. Ac wyneb Peter Hain fel sbaniel wedi cael cic yn ei ben-ôl a Dafydd Iwan fel y gath a lyncodd y caneri, ac Alun Michael ar bigau'r drain a phob Tori wedi yfed glasied o finegr.

Mai 10

Mae yma breswylydd newydd, sef cath fach frech, pawennau gwyn a llygaid glas, mwrddrwg deufis oed, llond dwrn o chwilfrydedd. Penderfynu ei galw yn 'Wigley' ar ôl arwr yr etholiad. Beth yw mynediad i'r Cyfrin Gyngor o'i gymharu â chael cath wedi'i henwi ar eich ôl! Euthum i ddim allan heddiw oherwydd bod Wigley wedi nadu drwy'r nos (eisiau mam) a Jonsi wedi chwyrnu drwy'r nos (ddim eisiau Wigley). Clywed bod Mathonwy Huws wedi marw yn 98 oed. Henwr annwyl, direidus; sgwrsiwr dihafal. Mi fyddai'r bechgyn yng Ngwasg y Sir yn y Bala yn arfer dweud na fyddai Math byth yn gwneud camgymeriad gramadegol na sillafu ac os oedd yna unrhyw ddadl neu ansicrwydd mai ef oedd yn gywir bob tro.

Mai 10

Y Cynulliad yn ymgynnull, a bûm yn gwylio'r seremoni a mwynhau penllanw blynyddoedd o hiraeth. Hoffi'r anffurfioldeb. Wedyn Alun Michael yn dewis ei gabinet: llysieuwraig yn gofalu am fuddiannau'r ffermwyr a Sais am ein hiaith. Od ar y naw. Yn y cyfamser rwyf yng nghanol rhyfel cartref gyda Wigley fel chwrligwgan a Jonsi'n chwythu bygythion. Jonsi yn pwyso dros stôn ac yn eistedd yma ac acw, yn edrych yr un ffunud â Grandma yng nghartwnau Giles erstalwm. Bob hyn a hyn mae hi'n anelu pelten at y bychan ac yn sgrechian fel banshi.

Mai 25
Clywed bod Lisa Erfyl wedi marw yn ystod y nos. Lisa annwyl, glên a chroesawus. Pawb yn ei hoffi ac yn ei hedmygu.

Gorffennaf 9
Buddug yn cael ei dal gan y Brodyr Bach! Mi wylltiodd yn gaclwm!

Awst 1
Steddfod Llanbedr-goch. Codi cyn cŵn Caer i fynd i Fangor i 'wneud' y papurau hefo Ieuan Wyn Jones ar y rhifyn olaf o *Llinyn Mesur*. Helen a fi yn aros yng ngwesty Nant yr Odyn, nid nepell o Langefni, am yr wythnos. Ar y ffordd yno ddoe, rywsut neu'i gilydd ddaru ni ddim gweld yr arwydd yn dweud y dylem droi i'r chwith wrth eglwys Llangristiolus. Holi dau ŵr bonheddig ar y stryd yn Llangefni ac meddai un, 'Mi af â chi yno.' A ffwrdd â fo i nôl ei gar. Mewn chwincied dyma fodur gwyn yn agosáu a dyn yn codi ei law, a dyma Helen wrth y llyw ar ei ôl. Drwy Langefni a'r Talwrn, drwy berfeddion Môn ac i Bentraeth ac i gyfeiriad Maes y Steddfod, a dyna'r car gwyn yn troi i mewn i'r Ganolfan Arddio. Roeddym wedi dilyn y car anghywir am filltiroedd, wedi gweld y rhan fwyaf o Ynys Môn a chodi braw ar y dyn yn y car gwyn oedd yn meddwl ein bod yn ei 'stalkio' ac nid oeddym yr un blewyn nes i Nant yr Odyn y diwedd.

Yn ôl â ni dros Bont Britannia i'r Tir Mawr. Helô, Ysbyty Gwynedd – unwaith eto! Chwerthin fel ffyliaid cyn ailfesur yr A5. Newydd ddadbacio ac edrych ymlaen at gawod, dyna'r ffôn yn canu a'r dyn clên o Langefni eisiau gwybod os oeddem yn OK! Ei gyfaill wedi ein colli ni. Mewn car du oedd o. Ni wn enw'r dyn clên ond mae o'n canu hefo Côr y Traeth ac yn nabod Trefor Jones Dillad, Rhuthun.

Ddoe oedd hynny. Heddiw roedd hi'n Steddfod ar y Sul

am y tro cyntaf a buom yn gwrando ar John Ogwen yn darllen stori amser cinio sef 'Priodas Bapur' gan Einir Gwenllian.

Awst 2

Diwrnod mwll. Rhaglen gyfarch yn y Babell Lên i Islwyn Ffowc ac R. S. Thomas, enillwyr Llyfr y Ganrif. Safodd pawb i gymeradwyo'r ddau wron. Ifor ap Glyn yn cael y Goron. Cyffro mawr gan ei fod yn aelod o'r bedwaredd genhedlaeth o Gymry Llunden, ond anghofiodd pawb ddweud mai un o Lanrwst yw Iona, ei fam. Bu hi a fi yn sefyll ar yr un mat un tro yn y Coleg Normal pan gawsom andros o bregeth gan Dic Tom, yr hen Brinni dreng.

Awst 3

Glaw trwm drwy'r nos a chan fod ein ffenest yn y to roedd pob diferyn trwmlwythog i'w glywed. Mwynhau gwrando ar Hedley Gibbard yn sôn am gyffro cyfieithu (ef yw prif gyfieithydd Cyngor Gwynedd). Ymosododd yn hallt ar y BBC, sydd wedi gwneud cawdel o'r iaith a chreu iaith fabis ar ein cyfer. Cofio clywed sôn am 'Farblis Elgin' ar fwletin newyddion. A soniodd Hedley am fwyty yn cynnig 'rhywbeth dibwys wnaed gartref'. Be 'di hwnnw? *Home made trifle*!

Awst 4

Awel braf yn sychu'r mwd. Sonia Edwards yn ennill y Fedal Ryddiaith, Hywel Teifi yn darlithio ar 'Llew Llwyfo – y Cymro carismataidd, cwicsotig, afradlon' a anwyd ym Mhen-sarn, lle sydd yn dafarn datws erbyn hyn. Ew, mae o'n ddarlithydd afieithus a diddorol bob amser. Cael min nos swnllyd hefo criw o hen fyfyrwyr y Normal yn y Fic yng nghwmni'r Moniars. Coblyn o rythm da a dawnsiais nes oedd gwadnau f'esgidiau'n teimlo fel papur sidan.

Awst 5
Agorodd y ffurfafen ac aeth y Maes yn llyn. Cinio hefo fy hen ffrind Gwyneth o Landeilo. Mae hi'n cael ei derbyn i'r Orsedd fory a buom yn siarad fel melinau papur a mynd drwy ambell botel o win.

Awst 6
Cyfarfod Blynyddol yr Orsedd i gefnogi cynnig W. J. Edwards, sef y dylai pob aelod o'r Orsedd gael pleidlais wrth ethol Archdderwydd bob tair blynedd. Cyfarfod od ar y naw. Ni roddwyd cynnig W. J. gerbron ac ni chafwyd trafodaeth. Dywedwyd wrthym fod yna bwyllgor wedi'i ethol i edrych i mewn i'r mater. A dene ben arni. Neb yn rhyw hapus iawn.

Awst 7
Cyrraedd adre a dyne lle roedd Jonsi a Wigley'n eistedd fel delwe ar y rhiniog, a phan welsant fi dyma'r bychan yn wincio ar y llall gystal â dweud bod Ffynhonnell Pob Daioni wedi cyrraedd. Dyma nhw i ffwrdd fel El Cid a rownd y gornel i'r gegin gefn a chiwio wrth eu platie, eu llygaid fel lampau Harley Davidson a chanu crwth ddigon i sigo'r seiliau.

Awst 18
Daeargryn ofnadwy wedi bod yn Nhwrci a miloedd ar goll o dan y rwbel. Pnawn, euthum am sesiwn ar y byrddau tiwnio. Wnewch chi ddim colli pwyse, medden nhw, ond mi gollwch fodfeddi. Iawn. Chwe 'bwrdd' sydd yna yn yr hen adeilade yn Stablau Clwyd; lledr glas ymlaciol a walie trwchus rhag ofn i bobl y tu allan eich clywed yn griddfan. *Easy-peasy* medde fi wrth y wal a gorwedd ar y bwrdd cyntaf a'i hanner isaf yn symud o ochr i ochr. Cofio'r geiriau: Os nad ydy o'n brifo, tydy o ddim yn gweithio. A meddwl na ddôi'r wyth munud byth i ben. At yr ail fwrdd sydd a'i

hanner isaf wedi'i hollti fel trowsus, a gwelais fy nghoese'n esgyn i'r awyr bob yn ail. Reit neis, a bron i mi fynd i gysgu. At y trydydd a gosod fy nhraed mewn gwarthol a phêl dennis rhwng fy nau ben-glin a theimlo 'nghorff yn troi mewn cylch meddwol a cheisio canolbwyntio ar y bali pêl a gwneud pelfic lifft yr un pryd. Edrych ar y cloc, a dim ond munud o'r wyth oedd wedi mynd. Ond ar y bwrdd nesaf roedd gwaeth i ddod. Wedi gosod fy mhen-ôl ar ddau glustog diniwed yr olwg a phwyso'r botwm, dyma'r ddau glustog yn dechre ymddwyn fel menig bocsiwr ac yn fy 'mhledu'n ddidrugaredd. Roedd fel eistedd ar ddwylo Muhammad Ali, neu lond sach o grocodeils yn trio dod allan. Hyd yn oed ar ôl iddyn nhw stopio roeddwn yn dal i fynd. Ymlwybro'n egwan at y nesaf gan feddwl cael tipyn o lonydd, ond unwaith eto wele fy nghoesau'n teithio tuag at fy nhrwyn. Reit ymlaciol. Nes dywedwyd wrthyf nad oeddwn yn ei wneud yn iawn. Mae eisiau anadlu allan wrth fynd i lawr ac anadlu i mewn wrth fynd i fyny. Neu fel arall, efallai. Ac mae eisiau pwyntio bysedd eich traed tua Meca. Bu bron i mi ag anghofio anadlu o gwbl. Wyth munud a deugain ar ben a cherddais allan yn fy nau ddwbl. Ac archebu sesiwn arall.

Medi 7

Yr AS Alan Clark wedi marw yn 71 oed. Dyn lliwgar a dyddiadurwr diflewyn-ar-dafod. Daeth i helynt yn y Senedd pan soniodd am 'Bongo Bongo Land'. A phan ofynnwyd iddo a oedd ganddo ysgerbydau yn ei gwpwrdd, ei ateb oedd 'Fachgen annwyl, fedraf i ddim hyd yn oed gau'r drws!'

Tachwedd 30

Wedi bod yn pacio'n barod i fynd 'dros y llyn' i Mericia. Sylwi ar bentwr o rywbeth brown ar garped y landing. Ei arogli. Pentwr o Oxo. Mae Lesley yn methu cael Oxo yn UDA ac yr oeddwn wedi rhoi tri bocs yn fy nghês, a Wigley wedi dwyn un, ei falurio a'i grensio ar y carped. Daeth llinell o'r *Gododdin* i'r cof: 'Cyd fai da ei flas ei gas bu hir'.

Rhagfyr 16

Wedi crwydro Cymru ben baladr drwy'r flwyddyn, deffro heddiw yn methu deall ble roeddwn. A daeth yr ateb fel fflach. Yn nhref Silver Spring, Maryland, taith ugain munud o Washington DC. Teimlo'n hynod o dda, a chysidro, oherwydd cymerodd ugain awr o ddrws o ddrws gan fod gwahaniaeth o bum awr yn yr amser. Siwrne dda a sêt ddwbl i mi fy hun ar yr awyren, pryd da o fwyd a darllen cyfrol Gerallt Lloyd Owen, *Fy Nghawl fy Hun*. Ac wrth edrych i lawr ar y cymylau wadin uwchben yr Iwerydd ac ymestyn am fy jin a tonic, mi roddais ddeg marc i Gerallt. Ew, sôn am gyfrol ddifyr. Llawn atgofion a hanesion a hiwmor ac achau a llond pob math o ddiwylliant sydd yn werinol ac yn goeth ar yr un pryd. Un cam gwag ganddo. Wrth sôn am ei hen hen daid a nain, Dafydd a Sarah Williams, Pant Clai, Cynwyd (cwpl a gafodd wobr oddi wrth *Titbits* am fod y pâr priod hynaf yn y Deyrnas – sef 68 mlynedd yn 1900) mae Gerallt yn dweud bod eu merch Martha yn fam i Anne, nain Dylan a Trystan Iorwerth. Nag oedd! Merch Cefn Post, Llanfihangel Glyn Myfyr, oedd Anne (Annie). Priododd hi ag E. Stanton Roberts, a'i fam o oedd Martha. Roedd Annie yn gyfyrderes i fy nain ac yn chwaer i Gwen, yr hiraethodd Dei Ellis 'Y Bardd a Gollwyd' gymaint amdani. Roedd hi hefyd yn nith i T. J. Hughes, perchennog siop fawr Lerpwl (sy'n dal yno). Merch iddo yw Shirley Hughes, awdures nifer fawr o lyfrau plant. Hi yw mam Edward Vulliamy, gohebydd tramor y *Guardian* a'r *Observer*. A dene'r pethe oedd yn mynd drwy fy meddwl wrth hedfan uwchben y byd. Ac roedd yr hyn a elwir yn limo yn aros amdanaf ym maes awyr John Foster Dulles a dyna lle roedd Lesley, fy merch wen, yn wên i gyd a'i breichiau ar led, newydd landio o

Florida wedi bod mewn rhyw gynhadledd ac wedi cael gwenwyn bwyd dychrynllyd a threulio dwy noson mewn ysbyty. Wel, medde fi wrth y wal, dyma andros o gychwyn da. Ond roedd y gwely'n felys iawn, yn enwedig ar ôl potel siampên Califfornia sydd yn anhygoel o rad. Sydd yn newydd drwg iawn mewn un ffordd.

Ddoe oedd hynny i gyd. Heddiw, mynd i Wasanaeth Nadolig yr Ysgol Brydeinig yn Washington lle mae Lesley'n brifathrawes. Welais i rioed gystal adnoddau – pob plentyn â'i gyfrifiadur a'i e-bost ei hun. A chwarae teg i Lesley: mae hi wedi prynu'r holl lyfrau (llond llyfrgell) a gwisg yr ysgol i gyd yn Rhuthun. A'r munud y cerddais i mewn i'r ysgol mi gefais job – gwrando ar y plant oedd yn mynd i ddarllen yn y gwasanaeth. Roedd yn amlwg nad oedd yr un wedi arfer cystadlu mewn eisteddfodau! Sefyll yno a'u gên i lawr a thagu'r geiriau. Lesley'n dweud wrthyn nhw, 'This is Ben's Nain!' gan ofyn a wyddent pa iaith oedd y gair 'nain'. Enwyd pob iaith ar wyneb daear, o Armeneg i Iorwba, ac ymateb syn a gafwyd i'r ateb. A'r rhan fwyaf o'r diawchiaid bach yn dod o deuluoedd Prydeinig. Gan gynnwys dau o blant James Mates, gohebydd Newyddion ITN yn Washington, y dyn â'r llais a'r aeliau mwyaf rhywiol ar y bocs! Ben ydy'r plentyn talaf yn yr ysgol ac ni fedrwn beidio â meddwl pa mor falch fyddai ei daid o'i glywed yn darllen yn y gwasanaeth. Roedd yr hiraeth fel magnel ym mhwll fy stumog.

Rhagfyr 17

Siopa am esgidie bore a methu credu bod y fath ddewis ar gyfer traed fel sydd gen i – traed bach llydan. Wedi treulio oes yn cerdded allan o siope sgidie yn fy nagre, wele rengoedd o rai fel pe baent wedi'u creu ar fy nghyfer. Ac yn rhad! Parti Nadolig yn yr ysgol pnawn (*pizzas* poeth, enfawr, blasus yn cyrraedd) a phawb yn cael anrheg.

Rhagfyr 19
Parti pen-blwydd Ben yn mhwll nofio Martin Luther King a rhyw ugain o blant yn sgrechian yn y dŵr cynnes. Te parti Cymreig: jeli coch a gwyrdd, sosejys, caws ar bricie, brechdanau wy. Llygaid syn yn gofyn, 'Ble mae'r *pizzas*?'

Rhagfyr 21
Cael cyfle i weld y gwahaniaeth rhwng y sawl sydd gan a'r sawl sydd heb. Mynd yn y car (a'r dryse ar glo) i lawr i waelodion dwyreiniol Swydd Montgomery. Wrth fynd ar hyd y North Hampshire Avenue ni fedrwn beidio â rhyfeddu at yr holl addoldai oedd yno, un ar ôl y llall. Ochr yn ochr â synagog a mosg Islamaidd ceir capel Bedyddwyr, teml Hindŵ, eglwys i'r Coreiaid, teml i'r Mormoniaid, teml Bwda, peth wmbredd o eglwysi pabyddol, eglwys Anglicanaidd, Pentecostiaid, teml Cambodia. Dywedir bod 90% o Americanwyr yn crefydda. Heibio i dai helaeth o bren gwyn llathr gyda'u gerddi taclus a'r ceirw a Mair Forwyn wedi'u goleuo a dyma raddol ddod at dai di-raen, y gerddi o'r golwg dan geir wedi llosgi, llancie segur ar gorneli'r strydoedd a phlismyn a'u gynnau'n barod. Disgynyddion y caethweision yw mwyafrif trigolion y rhan hon ac y mae tueddiad i geir yn llawn o bobl wyn gael eu llabyddio.

Rhagfyr 22
Ben yn ddeg oed heddiw a chafwyd cryn hwyl yn gosod ei anrheg wrth ei gilydd, sef cyfrifiadur. Doeddwn i ddim help o gwbl. Parti heno gan fod Lesley a Simon yn dathlu pen-blwydd eu priodas, un mlynedd ar ddeg. Da o beth oedd cael bod mewn cwmni swnllyd a digon o siampên Califfornia gan ei bod hi hefyd yn 28ain pen-blwydd fy mhriodas inne ac yn ddwy flynedd union ers pan gafodd Cliff ei strôc fawr olaf. Bûm yn gwneud fy ngwallt bore a'r ferch yn deall dim gair o Saesneg, a Lesley'n chwerthin am fy mhen nes ei bod yn wan

yn ceisio egluro nad 'inglese' wyf i. Er i mi weiddi 'Tom Jones' a wiglo fy mhelfis, doedd hi ddim mymryn callach. Maent yn dweud mai Sbaeneg yw prif iaith America erbyn hyn. Dyna'r cyfan a glywaf yn y siopau beth bynnag.

Rhagfyr 23

I lawr i Washington, croesi afon Potomac a dyna ni yn Virginia a chael cyfle i gerdded o gwmpas Mynwent Arlington. Nid oeddwn wedi sylweddoli bod yr afon yn un mor wirioneddol hardd – mae hi'n llydan ac yn lân ac yn gyforiog o adar. Dros hanner miliwn o arwyr wedi'u claddu yn y fynwent enwog hon ac o bell mae hi'n edrych fel cae o feillion gyda'i rhesi ar resi o gerrig beddi. Yma claddwyd Audie Murphy, y milwr a enillodd y mwyaf o fedalau yn yr Ail Ryfel Byd ac yma hefyd y mae'r hen Joe Louis, y paffiwr. Fel roedd yn digwydd, roedd yna angladd ar y pryd, hen forwr mae'n amlwg. Taniwyd tair ergyd gan bum morwr ar y llethrau, plygwyd y faner a chanwyd y 'Last Post'. Roedd yna unigrwydd mawr yn y sŵn – y glec a'r nodau hiraethus yn atseinio ar draws y Potomac.

Ond prif bwrpas yr ymweliad oedd mynd at fedd John F Kennedy ar y bryn. Y fflam fythol, ei enw ar y maen, ochr yn ochr â Jacqueline a dau fabi bach. Torchau o flodau. Torf ddiddiwedd yn dringo ac yn loetran wrth fedd y mab darogan. Nifer mewn dagrau. Roedd pob profedigaeth yn dod i'r wyneb wrth y bedd hwn.

Rhagfyr 25

Darn gore'r diwrnod oedd gweld wynebau Ben a John wrth iddynt agor eu hanrhegion dan y goeden. Nid oedd John (y bachgen bach a fabwysiadwyd) erioed wedi cael hosan o'r blaen, heb sôn am goeden ac anrhegion. Cawsom frecwast traddodiadol y teulu (Buck's Fizz ac eog mwg) cyn mynd am dro i'r parc a chwarae Pŵ Stics.

Rhagfyr 26

Cyn belled ag mae'r dalaith hon yn bod mae'r Gwylie drosodd. Hyd yn oed ddoe mi gafwyd papur dyddiol a llythyre drwy'r post. Ond chawsom ni ddim cracyrs ar fwrdd y wledd ddoe. Maent yn anghyfreithlon! Nid oes hawl i'w gwerthu na'u prynu. Y rheswm yw bod sŵn y glec yn codi braw, yn denu sylw ac yn debyg o ddod â'r heddlu at eich drws. Ac mae'r rheiny'n dueddol o saethu gyntaf a holi wedyn. Mae gan bob Americanwr hawl i gadw gwn yn ei dŷ a saethu'r sawl a fynno ond nid oes ganddo hawl i dynnu cracyr . . .

Diwrnod diddorol eto heddiw. Mynd i Mount Vernon, cartref George Washington, yr Arlywydd cyntaf a oedd hefyd yn ffermwr arloesol ac yn berchen 650 o gaethweision. Lle hyfryd ac afon Potomac fel bae llydan o flaen y tŷ. Cael paned o siocled yn hen dref Alexandria a methu credu bod y fath ddewis o hufen iâ a choffi a sodas i'w cael yno.

Rhagfyr 27

Bûm mewn gêm bel-droed yn Highbury erstalwm a bûm hefyd unwaith neu ddwy yn Twickers a Pharc yr Arfau yn sgrechian dros fy ngwlad. Ond chwarae plant oedd hynny o'i gymharu â'r lle y bûm i ynddo heno – gêm hoci iâ yn arena enfawr Washington. A phan ddywedaf enfawr, fel pob Americanwr gwerth ei halen, yr wyf yn golygu ENFAWR, anferthol, annisgrifiadwy o helaeth – rhenciau diwaelod a di-ben-draw o seddau'n llawn i'r ymylon, yn ymestyn i'r nenfwd a'r sŵn fel llanw. Roeddym yn y seddau rhataf ($40) a chefais y bendro am ein bod mor uchel. Roedd yno 16,017 a fi. Pawb â'i bopcorn a'i Coca-Cola a'i salsa yn gwylio'r Washington Capitols yn chwarae yn erbyn y Chicago Blackhawks. Y maes llithrig hirgrwn yn y gwaelod, sgrin enfawr (ie, y gair yne eto) o'n blaene gyda hysbysebion a chyfarwyddiade beth oeddym i fod i'w wneud. Gwaeddwch! Yn uwch! Curwch eich dwylo! Yn uwch! A sŵn cyfoethog yr organ Wurlitzer hirwyntog yn ychwanegu at yr iâs a'r cyffro. Pan sgoriodd y Caps aeth pawb yn wallgof, cododd pawb ar eu traed, siglwyd yr arena i'w seiliau a chwyddodd sŵn yr organ nes oeddwn yn meddwl 'mod i'n mynd i fyrstio. Ac ar y daith adre ar y Metro (glân a diogel – nid fel y Tiwb yn Llunden), roedd pawb yn ddiddig.

Rhagfyr 30

Diwrnod hyfryd. Mynd i weld bedd F. Scott Fitzgerald (a rhywun wedi gosod pentwr o boteli gwin gwag arno – *à la* Gatsby) ac yna aethom i Fae Chesapeake. Cofio darllen nofel James Michener, *Chesapeake* a chael fy nghyfareddu, ac ni chefais fy siomi. Y bae fel gwydr, miliynau o adar, a chefais fodd i fyw wrth eistedd ar lan y môr a gwrando ar yr hwyaid yn sgwrsio. Aethom am dro i Gettysburg a cherdded o gwmpas maes brwydr olaf Rhyfel Cartref America a'r fan lle traddododd Abraham Lincoln ei anerchiad enwog: 'we here highly resolve that these dead shall not have died in vain; that this nation, under God, shall have a new birth of freedom; and that the government of the people, by the people, for the people, shall not perish from the earth.' Fel pob tref fach a mawr, mae gan Gettysburg hefyd ei hamgueddfeydd, orielau a chofgolofnau lu. Mynd i Washington a gweld cofeb rhyfel Korea, yr hen Lincoln yn eistedd yn ei gadair a Wal Fietnam. Digon a sobri neb; miloedd ar filoedd o enwau arni. At y Tŷ Gwyn ond ddaeth Bill ddim allan. Diwrnod cynnes iawn.

Rhagfyr 31

Pan ofynnir i mi beth oeddwn yn ei wneud nos Galan olaf yr hen ganrif, mi fydd rhaid i mi ddweud y gwir, sef 'chwarae peiriannau *pinball*'. Mewn parti oeddym ni gyda chymydog sydd yn casglu'r dywededig beiriannau ac mae ganddo 150 ohonynt mewn caban yn yr ardd. Gosodwyd pawb mewn tîm. Nid oedd gen i syniad beth i'w wneud ac roeddwn wedi hen ddiflasu. Wedi gwylio Sydney a Pharis yn dathlu gyda thân gwyllt ysblennydd am saith o'r gloch, dyma eistedd i wylio Y2K yn yr UK, chwedl y sylwebydd ar deledu'r UDA. Yng nghornel y sgrin roedd rhestr o bob gwlad oedd yn cyrraedd hanner nos: Gwlad yr Iâ, Iwerddon, Lloegr a'r Alban. Dangoswyd golygfeydd o'r pedair gwlad. Ni soniwyd gair am Gymru. Roeddwn yn gandryll fy mod yn gwneud peth mor wirion â chwarae *pinball* ar drothwy'r ganrif newydd.

Llyfrau eraill Hafina Clwyd o Wasg Carreg Gwalch